Евгения Горская

ВСЕ МЫ ТОЛЬКО ГОСТИ

ЭКСМО

Москва
2013

УДК 82-3
ББК 84(2Рос-Рус)6-4
Г 70

Оформление серии *А. Старикова*

Горская Е.
Г 70   Все мы только гости : роман / Евгения Горская. —
М. : Эксмо, 2013. — 352 с. — (Татьяна Устинова рекомендует).

ISBN 978-5-699-65679-0

Все в этом городе было для нее родным: старый бабушкин дом, сад, соседи... Здесь Лина встретила свою первую любовь и испытала первое разочарование, увидев Костю целующимся с ее подругой Тамарой... Лина вернулась сюда лишь спустя восемь лет. Она хотела побыть в одиночестве, но ее планы нарушил Павел, с которым девушка познакомилась в поезде... А Тамара, когда-то пытавшаяся соблазнить Костю, неожиданно оказалась под прицелом киллера и не придумала ничего лучше, чем прибежать за помощью к Лине. Как выяснилось, к Тамаре случайно попала информация о готовящемся покушении на мэра города, но она не учла: убийце не нужны свидетели! — и необдуманно подставила под удар еще и подругу... Павла неудержимо тянуло к Лине, но о чувствах пока пришлось забыть: девушку надо спасать. За ней явно следят...

УДК 82-3
ББК 84(2Рос-Рус)6-4

ISBN 978-5-699-65679-0

Татьяна Устинова

Самое лучшее рядом, здесь и сейчас!

Вы любите путешествовать на поезде? Я вот страсть как люблю! Чтобы ехать далеко и пить поездной чай — вкус дальних странствий — из граненых стаканов в почерневших подстаканниках, обязательно с Дворцом Советов, чтобы была припрятана палка сухой колбасы и запеченная холодная курица — ну его, этот вагон-ресторан! Чтобы стоять у окна, и по карте угадывать названия редких деревень, и думать: «Широка же ты, страна моя родная!»

Почему так получается, что самое лучшее происходило с нами давным-давно и остается только в воспоминаниях? Иногда от этого становится очень грустно, но время от времени происходит чудо. Самое лучшее оказывается рядом, здесь и сейчас! Возьмите в руки роман «Все мы только гости», как это сделала я.

Евгения Горская заставила меня многое вспомнить, пережить заново — поездку на поезде в Светлогорск или на машине в Саратов, — и воспоминания эти получились какими-то необыкновенно легкими, светлыми, очень летними!.. Я точно знаю, что вызвать хоть какие-нибудь эмоции и отклик у читателей — задача не из легких. А у Евгении Горской получилось.

Я читаю «Все мы только гости», и мне... хочется так же, понимаете? Нет, не расследовать убийство! Хотя и против «приключения» я не возражаю, но именно такого... хорошего, «книжного», придуманного приключения! Приехать утречком в старый уездный город на поезде, отыскать бабушкин дом на узкой улочке, заросшей акациями, где в пыли лежит рыжая собака, побродить по Соборной площади, засыпанной шелухой от подсолнечника, вспомнить детство, а вечером пить чай с мятой и малиновым пирогом. У Евгении Горской получилась увлекательная, легкая, захватывающая и невыразимо летняя история. Читаешь книгу и чувствуешь запах яблок — из зазеркалья, со страниц.

Мастерство Горской еще и в том, что это не какая-нибудь милая бессюжетная история, а настоящий детектив — с погоней, похищением, освобождением и позабытым убийством. Вот уж точно ни на что подобное не рассчитывала Лина, когда решилась провести отпуск в старом доме своей покойной бабушки. Линина жизнь безнадежно разладилась, а здесь все и всегда было так успокоительно просто и легко — летние каникулы, первая любовь, подруги ее и бабушкины... Но чтобы обрести почву под ногами, придется многое преодолеть, справиться с невероятными и страшными откровениями, которым, казалось, не может быть места в этом тихом городке. И... найдется тот, кто спасет, когда спасения нет, и поддержит, когда падение неизбежно.

Удивительно, но в книге «Все мы только гости» угадывается настроение больших русских романов. Евгения Горская уместила в детектив современную энциклопедию разнообразнейших губительных страстей, созидательных любовей и ярких, живых, разноголосых героев. «Все мы только гости» читать интересно и... «припоминательно» — есть особое удовольствие находить в героях Горской черты классических персонажей: разлучница, добрый дядюшка, благородный рыцарь, старая тетка, у которой явно что-то на уме и верить ей нельзя. Читайте — радость одна!..

Благодаря Евгении Горской я знаю, что иногда нужно позволить себе вернуться в старый уездный двухэтажный городок, где прошли детство и юность, где влюблялись и мучились, где, как и миллион жизней назад, все стоит бабушкин дом с палисадником и яблоневым садом, а в темном, холодном подполе наверняка найдется банка клубничного варенья. Ну и тайна, разумеется!

Поезд шел почти неслышно. Временами на фоне черноты летней ночи за окном появлялись огоньки, и Лина провожала их глазами. Нужно было лечь, хоть немного поспать, а она все смотрела в темное окно, стоя в коридоре.

Вагон СВ был почти пустым. Решение провести отпуск в бабушкином доме пришло неожиданно, спонтанно, ей так захотелось в старый русский городок, в яблоневый сад, на речку, что она взяла билет на первый же поезд, на который успевала. Остались билеты только в СВ. Цена впечатляла, но Лина не пожалела денег и купила билет.

Она не была в городе восемь лет, не считая тех двух суток, когда приезжала на похороны бабушки. Она проводила здесь все каникулы, и когда училась в школе, и потом, в институте. Здесь был ее второй дом.

Лина опять проследила за промелькнувшими огоньками, еще постояла, прислонившись лбом к стеклу, повернулась, встретилась взглядом с мужчиной из соседнего купе, который тоже почему-то не спал, и наконец вернулась в свое купе и улеглась на полку, зная, что не заснет.

Поезд прибыл ранним утром. Платформа оказалась низкой, Лина, ухватив неудобную, большую, наспех собранную сумку, неуклюже спускалась из вагона вслед за мужчиной, тем самым, что бодрствовал в соседнем купе.

— Давайте, — неожиданно повернулся к ней бывший попутчик. И, не дожидаясь, пока она ответит, легко перехватил ее сумку.

— Спасибо, — смутилась Лина.

— В гостиницу? Я могу вас подвезти, меня машина ждет.

Ему было лет сорок. Коротко стриженные волосы, глубокие морщины на лбу, твердый неулыбчивый взгляд — он совсем не походил на любителя легких знакомств. Впрочем, в ее жизни было не так много мужчин, чтобы она могла легко распознавать таких любителей.

— Спасибо, — отказалась Лина и добавила совсем ненужное: — У меня здесь дом. Бабушкин.

Этого говорить не стоило, какое ему дело, есть у нее тут жилье или нет.

— Ну давайте до дома подвезу.

— Спасибо. Мне недалеко. — Лина повесила сумку на плечо и, не оглядываясь, пошла по знакомой дороге.

Город делился на две части: старый, почти деревенский, застроенный добротными небольшими домами, утопающими в зелени фруктовых садов, и новый, похожий на любой старый московский микрорайон. Лина с детства помнила, как в «новом» городе соседям давали квартиры, а они не хотели уезжать от своих палисадников. Это было давно, еще при советской власти. Сейчас, скорее всего, никому никаких квартир не «дают».

Бабушка всегда приходила встречать ее к поезду, и когда Лина была совсем маленькой, и потом, уже студентку. Дома ее ждали обязательные пироги, заранее извлекались из подпола банки с любимым Лининым вареньем, а стол уже был накрыт белоснежной «парадной» скатертью.

Так остро, как сейчас, идя по пустым по раннему времени улицам, Лина ни разу не ощущала, что бабушки больше нет.

Свернув к дому, она не сразу заметила мужскую фигуру в зарослях вишни на соседнем участке. Сердце замерло еще до того, как она его узнала.

— Здравствуй, Лина.

Он изменился. Был мальчик, стал мужчина.

Нет, это в первую минуту ей показалось, что он изменился. К ней шагнул он, ее Костя, любимый, верный и надежный.

Костя, которого она так и не смогла забыть.

Совершенно посторонний человек.

— Здравствуй, Костя.

— Ты... изменилась.

Она пожала плечами — мы все меняемся.

— Ты стала очень красивая.

Она опять не ответила. Она и раньше не была дурнушкой, хотя сейчас вовсе не фотомодель.

— Надолго?

— Сама не знаю. Как получится. — Ей не хотелось на него смотреть, и она уставилась на россыпь красных вишневых ягод за его спиной.

— Лина... — Он дернулся к ней раньше, чем понял, что хочет ее обнять.

Она шагнула в сторону, обходя его на неширокой дороге.

— Я всегда тебя любил, — сказал он ей вслед. — Всегда.

Она восемь лет ждала этих слов. Мечтала о них и не надеялась.

Лина поставила сумку на землю, достала связку ключей и отперла калитку, с трудом заставляя себя не оглядываться на свою бывшую любовь.

Замок на калитку повесил папа, при бабушке она не запиралась. Лина постояла на крыльце, отперла дом, прошлась по комнатам, бросив сумку у входной двери. Здесь почти ничего не изменилось, и все-таки все было не так, как при бабушке. Нет белоснежной скатерти на обеденном столе, вместо старого бабушкиного холодильника стоит новый, Лина вспомнила, что родители в прошлом году его купили. Подоконники без комнатных растений казались пустыми, незнакомыми.

Она распахнула настежь окна, постояла, вдыхая чистый, какого никогда не бывает в Москве, воздух. Скинула босоножки, босиком прошлась по саду, с грустью замечая отсутствие хозяйского присмотра. Дождя давно не было, земля совсем засохла. Вечером все полью, решила Лина.

Сорвала с куста смородины крупные, спелые, очень сладкие ягоды. За восемь лет она успела забыть вкус настоящих, только что с куста плодов.

— Линочка! — С соседнего участка спешила к ней по дорожке тетя Клава Овсянникова. — Линочка! Что же не позвонила? Я бы пирогов напекла... Господи, а красавица-то какая стала.

— Тетя Клава. — Лина обняла старую бабушкину подругу и почувствовала, что неожиданно подступили слезы. — Как я соскучилась.

— А я-то как соскучилась. — Худая, высокая, почти без седины тетя Клава отстранилась, разглядывая ее. — Ты уж приезжай, Линочка, не забывай нас, стариков.

— Буду приезжать. — Самое страшное — увидеть чужого Костю — уже произошло, теперь Лине ничто не мешает приезжать сюда, как раньше, каждое лето.

— Родители-то приедут в этом году?

— Собираются. В августе.

— Вот хорошо, все мне повеселее будет. Ты надолго?

— Я в отпуск на две недели. Наверное, все время здесь пробуду. Как Сережа? — спохватилась Лина, вспомнив про тети-Клавиного сына.

— Что ему сделается, — поджала губы соседка. — Давай я тебе покушать принесу, или пойдем ко мне, завтраком накормлю. Пойдем, Линочка, я быстро на стол соберу, мигом.

— Спасибо, теть Клава. Не хочется с дороги.

— Ну смотри. А то заходи, есть не хочешь, хоть чаю выпьем.

— Потом, — пообещала Лина. — Обязательно. Когда осмотрюсь.

Они еще немного поговорили, и каждое сказанное ни о чем слово словно гнало время назад, когда еще здесь жила бабушка, а Лина верила своему Косте. Время словно повернуло вспять, а она, Лина, так и оставалась сегодняшней. Усталой, давно ничему не радующейся женщиной, приближающейся к тридцати годам.

Простившись с соседкой, Лина вернулась в дом, нашла в комоде белую скатерть, застелила стол на кухне, села на свое обычное место и заплакала, глядя на старый неухоженный сад.

На месте магазина, в который Лина когда-то каждый день ходила за хлебом, теперь располагался вполне современный супермаркет. Упаковывая продукты в полиэтиленовую сумку, Лина почти не обратила внимания на эффектную темноволосую женщину в ярком шелковом платье и босоножках на высоченных каблуках. Она узнала Тамару, только когда та ее окликнула.

— Ли-ина? Снизошла до нашей деревни? — улыбалась новая Тамара, приятно располневшая, умело накрашенная, яркая. Впрочем, она и раньше была яркая, смешливая, острая на язык.

Тамара, худенькая стройная девочка с черными волосами до плеч и необыкновенными восточными глазами.

Тамара, которую Костя целовал, забыв Лину.

— Здравствуй, Тома. — Лина представила себе, как она, бледная, ненакрашенная, уставшая после бессонной ночи, невыгодно смотрится рядом с роскошной Тамарой.

— Какими судьбами?

— В отпуск.

— Одна? А муж что же? Работает? Или один отдыхать поехал?

— Работает. А ты какими судьбами?

— А я тоже в отпуске, — засмеялась Тамара. — Так ты не сказала про мужа. Кстати, он кто? Богатый?

— Богатство — понятие относительное. — Лина подняла сумку и повернулась к выходу. — Я только сегодня приехала, Том. Устала. Извини.

— Я тебя провожу, — решила Тамара. — Ты работаешь?

— Да. — Лина перехватила сумку. Нужно было взять рюкзак, набитая только самым необходимым сумка оттягивала руку.

— Где?

— В иностранной компании. — Понимая, что бывшая подруга не отстанет, Лина пояснила: — В технической компании. Разработчиком.

— Разрабо-отчиком? Инженером, что ли? — Тамара критически оглядела Линины джинсы. Джинсы были дорогие, недавно купленные в Ка-

лифорнии во время очередной командировки. То
есть это они в Москве считались дорогими, а в
солнечном американском штате стоили сущие
копейки.

— Можно и так сказать. Инженером. А ты?

— А платят как?

— Нормально платят. Как во всем мире.

Лапчатка, пробивающаяся вдоль асфальтовой
дорожки, казалась нежным ковровым ворсом.
Лина остановилась, скинула босоножки и, под-
хватив их свободной рукой, пошла босиком. Бабушка не разрешала ей бегать босиком, но внучка
не слушалась и однажды так поранила о какую-
то стекляшку ногу, что половину каникул прохо-
дила с повязкой.

— А я в областной администрации работаю.

Тамара жила в областном центре, а сюда приезжала на каникулы. Как все они, как Лина, как
Костя. Только Лина приезжала из Москвы, а Костя из Питера. Тогда это был еще Ленинград.

Что Тамара, окончившаяся педагогическое
училище, может делать в администрации, Лина не представляла. Впрочем, если где и можно
представить работающую Тамару, так только при
власти. Не за школьной же доской, в самом деле.

— А платят как? — улыбнулась Лина.

— Нормально платят, — засмеялась Тамара. —
Лучше, чем во всем мире.

— Проходи. — Толкнув калитку, Лина пропустила ее вперед.

— А все-таки, Лин, почему ты без мужа приехала? — внимательно оглядев почти не изменившуюся за восемь лет кухню, не отставала бывшая подруга.

— Так получилось. — Тамара смотрела с таким неуемным любопытством, что Лина засмеялась, убирая продукты в холодильник. — Он в командировке. В Штатах.

— А ты почему с ним не поехала?

— Он же там работает. Что я буду целыми днями делать? И потом, мне просто захотелось сюда приехать.

— Он кто? Кем работает?

— Тоже разработчик. Инженер. И тоже в иностранной компании, в другой. Не торгует, не ворует, к нефтяной трубе не присосался...

— Взяток не берет, — засмеялась Тамара.

— Ему никто не предлагал, насколько я знаю, — улыбнулась Лина. — Так что сама решай, богатый или нет.

— Теть Клаву видела? — утратив интерес к ее личной жизни, кивнула Тамара в сторону забора, разделявшего бабушкин и соседкин участки.

— Видела.

— Сережка-то в мэры выбился. Знаешь?

— Да. — Родители рассказывали ей об успехах соседа, странно, она словно только что осознала эту новость. Конечно, здешний мэр весит поменьше мэра московского, но тоже не пустая величина.

— Прикольно, да? Дом себе построил почти на речке. Особнячок, два этажа. И участок в гектар, не меньше. Он к матери часто приходит, не знаешь?

— Не знаю.

— Раньше он к тебе неровно дышал.

— Ну что за ерунда, Тома! У нас больше десяти лет разницы. Он никогда в мою сторону и не смотрел, разве что в детстве на велосипеде катал.

— Смотрел-смотрел, ты просто не замечала. И разница в возрасте хорошая. Так что подумай, может, бросишь своего разработчика? Он тебе такой особняк не выстроит. О-о, глянь-ка, — кивнула в окно Тамара. — Теть Клава. Легка на помине.

Соседка принесла большое блюдо с пирогами. Пироги были большие, не такие, как у бабушки, та пекла маленькие, «на один укус». Лина уставилась на блюдо и пыталась остановить опять подступившие слезы. Нервы стали ни к черту.

— Я все-таки напекла пирогов, Линочка. Из готового теста, свое-то некогда ставить. Здравствуй, Тома, — кивнула соседка.

— Спасибо, тетя Клава. Спасибо вам. Сейчас будем чай пить, — засуетилась Лина.

— Здравствуйте, тетя Клава, — мягко улыбнулась Тамара.

Она как-то сразу изменилась, пропала вызывающая яркость, наоборот, она удивительным образом превратилась в скромную нежную девушку, даже излишний для жаркого летнего дня макияж уже не так бросался в глаза. Нормальный макияж, глаза немного подкрашены и губы, только и всего.

— Отдыхай, Линочка, — решительно поднялась подруга. — Не буду тебе мешать. Увидимся еще.

— К Сережке моему клинья подбивает, — глядя ей вслед, сурово произнесла соседка. — Около него много теперь вертихвосток ошивается. Рыбак рыбака видит издалека. У нас хоть и не Москва, ваших денег не наворуешь, но тоже есть что в карман положить.

— Тетя Клава! — опешила Лина. — Но Сергей вряд ли станет заниматься чем-то... криминальным.

Сережу бабушка всегда ставила Лине в пример. Тетя Клава работала в больнице медсестрой, воспитывала сына одна, лишних денег в доме никогда не водилось, а сына вырастила доброго, умного, начитанного. Школу окончил с золотой медалью, московский университет с красным дипломом.

Когда Лина приезжала сюда в последний раз, Сережа показался ей совсем взрослым дядькой, почти старым. Он уже тогда занимался бизнесом, а теперь вот стал политиком местного масштаба.

— Ну, криминальным — не криминальным, а на честные деньги хоромы не выстроишь. Ладно, бог с ним, давай чай пить. Выключай чайник, кипит.

Пироги оказались очень вкусными, и разговаривать с соседкой было легко, и старый сад за окном навевал безмятежное спокойствие. Тоскливое одиночество, к которому Лина почти привыкла за многие годы, отступило, и она впервые за все последнее время почувствовала себя почти счастливой.

Внезапно разразилась июльская гроза, пришлось спешно закрывать окна, и Лина радовалась, что тетя Клава побудет с ней еще. Хотя бы пока не стихнет дождь.

Тамара шла к дому по длинной дороге вдоль железнодорожных путей, за которыми начинались желтеющие поля. Подумала, перешла через рельсы, спотыкаясь на остром щебне, и, оказавшись на узкой тропинке, скинула босоножки и пошла босиком, как недавно Лина.

В детстве она часто ловила себя на том, что старается быть похожей на Лину, и ужасно на себя злилась. Ей хотелось, чтобы та ей завидовала, чтобы Линка старалась быть на нее похожей, а выходило как раз наоборот.

Тамара приезжала сюда, привозя кучу отличных шмоток, — мама, до перестройки работавшая продавщицей в булочной, с наступлением новых времен занялась собственным бизнесом и дочь одевала как картинку. Бизнес был, конечно, так себе — «челночный», мать возила из Турции одежду и сама же ее продавала на рынке. Но деньги, по тем нищим временам немалые, в семье водились.

Тамара меняла платья и туфли, а Лина ходила в дешевых шортах, переделанных из старых джинсов, и была вполне довольна жизнью. В конце концов Тамара тоже обрезала себе джинсы, за что мать долго ей потом выговаривала, а платья так и висели в тесном бабушкином шкафу.

Вот и сейчас она жалела, что напялила босоножки, в которых невозможно ходить по российским дорогам, а еще больше — что у нее вообще нет босоножек без каблуков, как у Линки.

Впрочем, сейчас ей не до нее. Ей есть о чем подумать и помимо давней подруги.

Цель Тамара определила себе четкую — выйти замуж за Сергея Михайловича Овсянникова, полноправного хозяина окрестных земель. Мысль эта зародилась несколько лет назад, когда Сережа из бизнесменов средней руки подался в не ахти какие на фоне крупных городов властные структуры. Но тогда Тамара рассматривала этот вариант как запасной, тогда она еще пыталась устроиться у себя, в большом областном центре, но подходящего бизнесмена не находилось, молодого политика тоже, а все то, что попадало под руку, слова доброго не стоило. Такая же голь перекатная, как она сама.

Не ко времени приехала Лина, совсем не ко времени. Сережа Линку всегда выделял, нравилась она ему, по-взрослому нравилась, это Тамара отлично помнила. Она такие вещи всегда замечала, даже девчонкой. Хорошо, что Лину он совсем не интересует, в этом Тамара и тогда не сомневалась, и сейчас.

И все-таки не ко времени она приехала. Не нужно Тамаре, чтобы кто-то мог отвлечь Сергея, даже не желая этого.

Встретиться с Овсянниковым Тамаре было необходимо, причем как можно быстрее. И не только потому, что очередной отпуск проходил, а цель все так и оставалась целью, ни на сантиметр не приближаясь.

Главное заключалось в другом.

В том, что его хотят убить.

После грозы воздух стал особенно чистым, легким. Откуда-то доносился запах душистого табака, еще каких-то цветов. Сад почти не изменился, Лина собрала сбитые грозой яблоки, сорвала пригоршню вишни и съела. Ягоды совсем созрели, нужно обобрать и сварить варенье.

Она еще побродила по саду, несколько раз подойдя к старой раскидистой яблоне-китайке. Дерево было кривое, однобокое, большая боковая ветка отпилена и замазана коричневой краской.

К вечеру стало прохладно. Лина вернулась в дом, прикрыла окна, растянулась на диване и, пощелкав пультом, включила телевизор. Телевизор был большой, плазменный, родители купили его совсем недавно, в прошлый отпуск.

Смотреть, как обычно, было нечего, Лина остановилась на историческом фильме про какого-то вероломного английского короля и неожиданно увлеклась. Король менял любовниц, объяснялся в любви собственной жене, воевал, казнил, миловал и оставался умопомрачительно мужественным.

Костины шаги она узнала, едва заслышав легкий скрип под окнами. Потом слушала, как он вытирает ноги о коврик на полу прихожей, и сразу перестала понимать, что происходит на экране.

Она не пошевелилась и не смотрела на него, и все-таки знала, что он замер в дверном проеме. Выключила телевизор, когда молчание стало совсем невыносимым, и наконец повернулась к нему:

— Что, Костя?

Он молчал, глядя мимо нее. Сцена получалась поразительно пошлая.

— Лина... Я все эти годы жалел...

— Не надо, Костя, — перебила она, удивляясь, что видит в нем совсем чужого человека. — Я ни в чем тебя не виню. Мы были детьми, мало ли кто кому нравился в юности. Ты же не бросил меня с младенцем на руках. И вообще, я больше не желаю об этом говорить.

— Не буду. Только... я хочу, чтобы ты знала, ты — самое светлое, что у меня было в жизни.

Все-таки он изменился. Стал шире в плечах. Раньше он никогда не стриг волосы так коротко, и у него не было намечающихся залысин.

— Костя! Это все происходило в другой жизни, хватит об этом.

— Ты со своим мужем... счастлива?

— Нет, — честно призналась Лина. — Но это не значит, что я готова завести любовника.

Раньше у Кости не было такого тяжелого мрачного взгляда. Впрочем, тогда ему не приходилось перед ней оправдываться.

Он наконец оторвался от дверного косяка, подвинул стул и сел напротив Лины.

— Пойдем, погуляем, — предложил он, помолчав. — Хочешь?

— Нет, — она покачала головой. — Я устала с дороги, не спала в поезде.

— А завтра?

— Там видно будет.

Она совсем иначе представляла их встречу, до самого последнего времени мечтала увидеть себя в его объятиях и никогда не подумала бы, что ей просто не о чем будет с ним говорить.

— Как Вероника Сергеевна? — спохватилась Лина, вспомнив про Костину бабушку.

— Нормально. Пьет таблетки горстями, как и положено. Она не любит жаловаться. Я... все время хотел к тебе приехать и боялся, что ты меня выгонишь, я бы тогда не знал, как мне жить.

— Перестань, Костя, — поморщилась Лина, удивившись, что разозлилась всерьез. — Перестань. С тех пор прошла целая жизнь, и я не верю, что ты ежеминутно обо мне думал.

— Ежеминутно не думал, — подтвердил он. — Но никогда не забывал. Ты правда мое самое светлое воспоминание.

— Ты мое тоже, — улыбнулась Лина.

— Хочешь, в саду посидим?

Раньше Лина боялась находиться в саду, когда темнело. Бабушка даже пригласила соседа дядю Мишу, и тот провел свет вдоль дорожек, но все равно Лина одна по вечерам в сад никогда не выходила, только с бабушкой или с подругами. А потом только с Костей.

— Нет, Кость. Я хочу спать.

— Не забудь запереть дверь, — поднимаясь, предостерег он.

— Не забуду, — пообещала она, чуть не ляпнув «спасибо за заботу».

Немного постояв на крыльце и вдыхая аромат соседских цветов, заперла дверь и заснула почти сразу, как положила голову на подушку. Словно в детстве.

Понедельник, 2 июля

Разбудил ее перезвон мобильного. Лина посмотрела на светящийся экранчик — половина девятого. В Москве она никогда не просыпалась позже начала восьмого.

— Привет. Ты где? — Голос мужа звучал отчетливо и громко, как будто он находился рядом, а не на другом конце света.

— Привет. — Лина поудобнее перехватила тоненькую «Нокию». — В бабушкином доме.

Она слушала, как муж дышит в трубку, и старалась не поддаваться тоскливой безысходности, понимая, что сейчас ее ждет долгое выяснение отношений.

Он молчал, и она не выдержала:

— Стас, я же тебе говорила. Я говорила, что хочу поехать...

— Угу, — перебил он. — Только я не мог поверить, что ты способна развлекаться, когда я в чужой стране.

— Стас! — ахнула Лина. — Ну при чем тут чужая страна? Я же все равно в России, какая разница, в Москве я или нет? И потом, ты не ребенок. Ты в этой чужой стране проводишь времени больше, чем со мной.

— Ты меня упрекаешь?

— Нет, конечно.

— Я работаю, между прочим. Я для тебя деньги зарабатываю. Для тебя!

Лина могла бы ему напомнить, что тоже работает и денег зарабатывает ненамного меньше, чем он, но говорить что-либо бесполезно, это она знает точно. Каждое ее слово будет перевернуто самым нелепым образом, и ей придется оправдываться неизвестно в чем.

— Ты считаешь нормальным отдыхать врозь?

— Нет. Не считаю. Ты же знаешь, что у меня остались две недели от прошлогоднего отпуска. От прошлогоднего, Стас.

В прошлом году они оба много бывали в командировках, потом Стасу пришлось взять половину отпуска, чтобы помочь родителям на даче, затем они все-таки поехали отдыхать, но только на десять дней, и половина отпуска у Лины осталась неиспользованной.

— Ты могла бы приехать ко мне.

— Стас! Но...

— Ну что тебе делать в этой глухомани? Почему обязательно в эту дыру за сто верст? — На Америке он всерьез не настаивал, и Лина отлично понимала почему. Потому что поехать к нему на две недели дорого и хлопотно, тем более что он сам вернется через месяц. Просто ему очень хотелось, чтобы она рвалась к нему и говорила об этом, а он бы уговаривал ее еще чуть-чуть подождать. Тогда, может быть, и сам бы предложил ей поехать отдохнуть в старом бабушкином доме. Она знала, какие слова нужно говорить Стасу, только произносила почему-то совсем другие.

— Я выросла в этой дыре, — напомнила Лина.

— Ну и что? Тебе там лучше, чем со мной, да?

— Стас, — взмолилась Лина. — Ну пойми ты, я просто соскучилась по этим местам. Ты же все равно в командировке. Ну какая тебе разница?..

— Есть разница, — зло произнес он. — Мне небезразлично, где... болтается моя жена. Что ты там собираешься делать?

— Отдыхать. Повидаться с соседями. Ты же никогда не хотел сюда ехать, вспомни.

— Вот что, — отрезал он. — Ты сегодня же вернешься назад, возьмешь билет на ближайший рейс и немедленно вылетаешь ко мне!

— Стас, — неожиданно для себя выпалила Лина. — Давай разводиться.

— Что-о? — не поверил он. — Да любая другая на твоем месте...

Про «любую другую» Лина не могла слышать. Просто физически не могла.

— Ты приедешь, и я подам на развод. — Лина нажала отбой, положила телефон на тумбочку и только теперь заметила, как сильно дрожат руки.

Неужели она сама сказала про развод?

Лина вылезла из постели, походила по дому, стараясь успокоиться, и подошла к окну.

Они со Стасом ссорились постоянно. Они словно говорили на разных языках, и каждую свою мысль ей приходилось подолгу ему объяснять и уверять, что она ничего плохого в виду не имела. И все-таки она никогда всерьез не думала о разводе.

Или думала?

— Любая другая на твоем месте радовалась бы, — неизвестно на что обижался Стас, даря ей подарок на день рождения.

— Я радуюсь, — уверяла Лина, стараясь не обращать внимания на «любую другую», которую Стас видел на ее месте.

Она действительно радовалась его подаркам и старалась не замечать, как тоскливо сжимается сердце от «любой другой», и послушно примеряла золотую цепочку, или сережки, или еще что-нибудь.

Потом и цепочка, и сережки напоминали о «любой другой», и носить их не хотелось. Но она носила.

Она понимала, что «любая другая» для него только привычные и пустые слова, но каждый раз отчего-то тревожно сжималось сердце, и потом она долго не могла восстановить душевное равновесие.

Она никогда всерьез не думала о разводе.

Или думала?

— Стас, — попросила однажды Лина. — Пожалуйста, никогда больше так не говори. Мне... неприятно.

— Почему? — засмеялся он. — Ревнуешь? Поревнуй-поревнуй, это полезно.

Лина распахнула окно. В саду заливался соловей, впрочем, она плохо различала птичьи голоса, может быть, пела какая-то другая птица.

Стас вернется, и мы разведемся, твердо решила Лина. Это не жизнь, когда почти любой разговор вызывает ссору, после которой дрожат руки.

Она хорошо помнила, как когда-то любила Костю, и отчетливо понимала, что со Стасом ничего похожего не было. А еще она помнила, как любил ее Костя, и не менее отчетливо понимала, что Стас никогда не любил ее так, чтобы не представлять другой на ее месте.

Впрочем, и Костя легко допустил другую на ее место.

Утренний воздух был прохладным, ароматным, успокаивающим.

Руки больше не дрожали.

Что-то не нравилось Тропинину в этой командировке. Вроде бы работы выполнялись в срок, без сбоев, строго по плану. К его приезду ребята полностью смонтировали оборудование, тестирование проводили добросовестно, никаких грубых ошибок не выявили, а что-то его тревожило.

Фирма устанавливала на инструментальном заводе систему наружного и внутреннего видеонаблюдения. Работа привычная, несложная, много раз выполнявшаяся. Волноваться причин нет, но Тропинин своей интуиции доверял.

Не понравился ему директор, слишком суетливо выспрашивающий о характеристиках оборудования. Не понравилась общая обстановка на заводе, где все, казалось, только и ждут наступления каких-то судьбоносных событий, а до них пребывают в состоянии безразличного ничегонеделания, имитируя при этом повышенную работоспособность.

Откуда у него взялось такое представление, Тропинин и сам не понимал. Просто он много бывал на различных предприятиях и давно научился отделять настоящую работу от примитивной показухи.

По обрывкам разговоров, намекам понять, что на заводе зреют перемены, особого труда не составило. Картина вырисовывалась привычная и страшная в своей привычности: разрушенный благословленной перестройкой завод при нынешних хозяевах стал приносить ощутимую прибыль, и на него нашлись желающие.

Во всем этом Тропинина больше всего волновало, чтобы деньги его фирме были перечислены в срок и в полном объеме. А для этого нужно как можно быстрее закончить монтаж и подписать акты сдачи-приемки. Чем быстрее подпишем, тем с большей вероятностью получим деньги, понимал Тропинин. Пока здесь не начались бои местного значения.

Проснулся он рано, еще в гостинице объяснил руководителю группы, которая здесь работала, что к чему, и неожиданно для себя решил сходить на речку. Все равно на заводе ему делать нечего, только смущать группу своим присутствием. Тропинин хоть и держался всегда демократично, но понимал, что, будучи директором и хозяином фирмы, на равных с собственными подчиненными никогда не будет.

Позавчера, собираясь в эту командировку, он прихватил плавки. Сунул в чемодан просто так, потому что попались под руку. Уже потом, посмотрев карту, узнал, что здесь есть река.

Тропинин включил компьютер, прикинул, посмотрев на карту, как пройти к речке, и, заперев номер, отправился туда.

По карте путь казался близким, а на самом деле он долго шел мимо каких-то заборов, преграждающих путь к воде, пока не вышел к железнодорожным путям, а за ними к маленькому мостику через крохотный ручей.

С девушкой он столкнулся у самого моста и сразу узнал ее — попутчица, полночи простоявшая у окна вагона. Тогда, в поезде, девица Тропинина поначалу раздражала, стояла, как изваяние, только головой еле двигала, как испуганная улитка, боявшаяся высунуться из раковины. Тропинин пробовал читать, но внезапно ловил себя на том, что не отрывает от нее глаз. Это было ужасно глупо, и он на себя злился. Но все-таки смотрел. Оказалось, что приятно смотреть на узкую гибкую спину, на волнистые до плеч волосы. На тонкий профиль, когда она немного отворачивалась от окна. Потом девица ушла к себе в купе, и он напрочь о ней забыл.

— Здравствуйте, — кивнул ей Тропинин.

— Здрасте, — послушно откликнулась Лина и только потом узнала случайного попутчика.

Дорога к речке была одна, вдоль поля, и Тропинин шел за Линой, чуть поотстав, хотел обогнать, но не стал.

Дорога вывела прямо к реке, на чистый, покрытый светлым мелким песком пустынный берег. Девушка скинула босоножки, бросила рядом длинную цветастую юбку и белую майку. Или блузку. Тропинин плохо разбирался в женской одежде. Вошла в воду по колено, постояла немного, прошла чуть дальше и поплыла. Не плескалась около берега, как большинство женщин, а плыла по-настоящему, не быстро, но правильно.

Тропинин сразу вспомнил вчерашние разговоры на заводе: как раз накануне в реке утонул какой-то парень. Местные рабочие сокрушались: совсем не пил, а так нелепо погиб. От них же Тропинин слышал, что эта река всегда отличалась коварством, лета не проходило, чтобы кто-нибудь не пропал в безобидной на вид пучине.

Зря она так, подумал Тропинин о попутчице, явно направляющейся к противоположному берегу, начнет тонуть, спасти будет некому. Может быть, потому что собирался в случае необходимости прийти к ней на помощь, а может, просто потому, что ему опять было приятно на нее смотреть, остановился он невдалеке, метрах в пяти от ее вещей.

Попробовал ногой воду — прохладная. Если бы не плывущая девушка, он бы в реку не полез, он предпочитал теплую воду. Правда, и на теплом море, на дальнем африканском берегу он в последний раз был несколько лет назад, жена уговорила поехать.

Тропинин нырнул, несколькими взмахами рук отдалился от берега. Вода уже не казалась прохладной, нормальная вода, приятная. Перевернулся на спину, чувствуя, как его мягко подхватывает небыстрое течение, и поплыл назад к берегу.

Сегодня попутчица совсем не напоминала улитку, она казалась вполне уверенной, независимой и равнодушной, и Тропинина это почему-то неприятно удивило.

Девушка прошлась по противоположному берегу, постояла, подставив лицо еще не жаркому солнцу, и поплыла назад.

— Вы бы не рисковали, — буркнул Тропинин, когда она подошла к оставленной одежде. — Недавно здесь здоровый мужик утонул.

— Я выросла на этой реке. — Она повернулась к нему, и он разглядел, что глаза у нее темно-голубые, почти синие. — Я в ней с трех лет купаюсь. Или даже с двух.

Он не представлял, что бывают такие красивые глаза.

Лина подхватила босоножки и одежду, направляясь к ведущей к городу дороге.

Они еще не знали, какая страшная опасность будет угрожать им в этом маленьком уютном городке.

Проснулась Тамара рано, до будильника. Полежала, слушая, как бабка копошится на кухне. Мысли были вялые, нерадостные, даже тоскливые. Дни шли, а ничего из намеченного она так и не сделала. Собственно, намечала она одно — явиться спасительницей к Сергею и сделаться местной первой леди.

Идти к нему нужно было немедленно, Тамара отлично это знала и понимала, почему на самом деле тянет — от страха.

Был еще один выход — бежать отсюда побыстрее, забыв обо всем, что знает.

Тамара вылезла из-под простыни, под которой спала по случаю жары, сунула смятую постель в ящик дивана и пробурчала, выйдя на кухню:

— Ну куда столько набрала, ба? Едешь-то всего на три дня.

— Так ведь самое необходимое, Томочка. И неизвестно еще, то ли на три дня, то ли... — Бабушка тяжело вздохнула.

Полечиться бабуля любила, то сердце у нее болит, то желудок, то давление. Всех врачей уже достала, вот и отправили ее в областной центр на консультацию, чтобы она от них отвязалась. Тамара наклонилась к двум плотно набитым сумкам и покачала головой:

— Куртка-то зачем? Вон какая жарища стоит.

— Так ведь... Сейчас жарища, а завтра похолодает. Не в Африке живем.

Тамара махнула рукой и неожиданно заметила, какие явные синяки у бабки под глазами и какие бледные, почти синие губы.

— Ты вообще-то как, бабуль? Чувствуешь себя как?

— Да ничего, Томочка. Как обычно. Давай завтракать да пойдем.

— Линка приехала, — нарезая только что сорванные огурцы, вспомнила Тамара.

— С мужем? — Бабка поставила на стол кастрюлю с молодой картошкой.

— Одна.

— Надолго? Интересно на нее посмотреть.

— Говорит, в отпуск. Посмотришь еще. Да она и не изменилась почти.

— Болит у меня за тебя душа, Томочка, — тяжело вздохнула бабка, накладывая ей полную тарелку. — Линка-то не красивее тебя, а давно замужем, а ты... Будешь такая же неприкаянная, как мы с твоей матерью.

— Не каркай!

— Не буду. Что на роду написано, то и будет. У них вся семья такая, удачливая. Полина, покойница, замуж хорошо вышла, и дочь, и вот внучка.

— Не больно-то Линка похожа на счастливую. И отпуск с мужем врозь проводит. — Тамара подумала, добавила себе салата из огурцов.

— У меня ухажеров полгорода было, а у Полины один. А вышло, что я всю жизнь одна с ребенком, а она с мужем.

— Ну хватит, ба, — поморщилась Тамара.

— Не повторяй ты наших ошибок, Томочка, не разбрасывайся. Ищи хорошего человека. А богатство дело наживное, сегодня есть, завтра нет. Вон Сергей Овсянников — копейки лишней в доме никогда не было, а теперь самый богач. Особняк отстроил.

— Женщина у Сережки какая-нибудь есть? Что про него говорят, бабуль?

— Была какая-то, из нового города. Учительница вроде. Пожила у него месяца два, и все.

— Что все?

— Разошлись. Она из города уехала. Я перед самым твоим приездом его в магазине встретила, он мне еще сумку донести помог. Он мужик-то хороший, уважительный. Про тебя спрашивал.

— Да? — заинтересовалась Тамара. — А ты что сказала?

— Сказала, что в администрации работаешь. Не замужем пока. Что есть, то и сказала. Пойдем, Томочка, собирайся.

Автобус отходил в десять часов с привокзальной площади. Тамара помахала бабке, позвонила матери, чтобы встречала автобус, и остановилась у киоска с мороженым, пропуская небольшую толпу с пришедшего московского поезда.

Она не сразу поняла, почему ее словно зазнобило жарким июльским днем. Она смотрела вслед худощавому молодому мужчине и не могла отвести взгляд. Уговаривала себя, что ошиблась, на свете миллионы таких худощавых мужчин, и знала, что с московского поезда сошел убийца.

Он меня не видел, успокаивала себя Тамара. Да он меня и не вспомнит сроду.

Она тоскливо оглядела площадь и медленно направилась к центру города, к зданию городской администрации, понимая, что времени уже совсем нет.

До кладбища можно было подъехать на автобусе, но Лина, наспех позавтракав после купания, пошла пешком.

Город изменился. Появились красочно оформленные магазины, летние кафе на несколько столиков, улицы оказались заасфальтированными, причем дорожки были проложены с умом, в тени деревьев.

И кладбище изменилось, появилась даже небольшая часовня. Когда хоронили бабушку, оно выглядело совсем заброшенным. Правда, умерла бабушка в декабре, а зимой все кажется заброшенным.

Лина положила на свободное место между нежными анютиными глазками купленные у ворот оранжевые лилии и долго смотрела на стандартную овальную фотографию на памятнике. В последний раз Лина видела бабушку в тот страшный день, когда узнала, что у Кости другая девушка. Ее подруга Тамара.

В том году Лина приехала сюда позже, чем обычно, в августе. В июле у нее была производственная практика, Лина еле дождалась ее окончания и уже на следующий день стояла у окна вагона, весело глядя на мелькающие перелески. Поезд пришел не поздно, часов в пять вечера, Лина спрыгнула на платформу к бабушке и Косте, и на свете не было человека счастливее. Впрочем, тогда она не думала о счастье, это она потом узнала, что тот день был последним по-настоящему счастливым в ее жизни.

Тогда Костя показался ей каким-то смущенным, но она не обратила на это внимания. Не мог же он обнимать ее при бабушке, тогда «гражданские браки» и «свободная любовь» еще были не так распространены, как сейчас. Костя донес до дома ее вещи и сразу куда-то заторопился, а они с бабушкой пили чай с пирогами, потом фотографировали друг друга в саду новым Лининым фотоаппаратом, а потом Лина отправилась к Косте...

Она не сразу поняла, что за густыми вишнями Костя обнимает другую девушку, и потом долго радовалась, что не окликнула его. Она стояла, как оглушенная, и не могла пошевелиться, и запоздало понимала, что Костя сегодня был другим, не таким, как раньше, и она обязана была догадаться, в чем дело, но не догадалась.

Как очутилась дома, Лина не помнила. Бабушка обнимала ее и успокаивала, а она трясла головой, словно при нервной болезни.

— Тебе трудно в это поверить, Линочка, — шептала бабушка, — но все пройдет. Ты будешь вспоминать этот день без боли, нужно только немного потерпеть. Подождать. Время — лучший лекарь, поверь мне.

Потом они отнесли на вокзал так и не разобранные сумки, и первым же поездом Лина уехала назад в Москву. Зимой бабушка умерла.

— Ты была права, бабуль, — прошептала Лина. — Все прошло.

Погладила ухоженные анютины глазки — родители платили кому-то из соседей, чтобы ухаживали за могилой, — и побрела к выходу.

Радуясь, что не достала из сумки паспорт, Тамара сунула его молодому полицейскому у входа в двухэтажное здание, где с незапамятных времен располагалась местная власть, ласково ему улыбнулась и пошла вдоль тесного коридора, читая таблички на дверях.

— Вы к кому? — окликнула ее сидевшая к конце коридора девушка.

Коридор кончался небольшой комнаткой. Кроме стола с компьютером, за которым сидела бдительная девица, в комнате располагались только два стула, как раз напротив двери с надписью «Овсянников С.М.».

— К Сергею Михайловичу, — равнодушно бросила Тамара, усаживаясь на неудобный стул.

— Он вам назначил?

— Он меня примет, — заверила Тамара, подумала и улыбнулась секретарше. Отношения с девицей портить не стоило, она еще может пригодиться. — Я его старая знакомая. Давно его не видела. Когда он появится?

— Не знаю, — разглядывая итальянское Тамарино платье, призналась девица. — Может и совсем не прийти. У него приема сегодня нет.

— А позвонить ему вы можете? — доверительно подалась к ней Тамара. — Скажите, Тома Ропкина ждет. Позвоните. Чего я буду ждать-то зря?

Девица, поколебавшись, потянулась к мобильному.

Все-таки простой народ в провинции. Она, Тамара, никогда бы шефу из-за незнакомой бабы звонить не стала. Еще не хватало! Если знакомая, значит, сама должна телефон знать. А не знаешь, так это твои проблемы. Секретарь-то здесь при чем?

К счастью, сейчас для Тамары уровень секретаря был благополучно пройден, она начинала секретаршей. Теперь Тамара называлась инспектором, работу свою любила и власть, хоть и небольшую, любила тоже. А больше всего до недавнего времени любила своего начальника.

Телефон Сергея оказался отключен. Тамара поерзала на стуле и уставилась в окно на пыльную улицу.

Сережа на подрастающих девчонок внимания не обращал. Здоровался с детворой, улыбался и проходил мимо, как все взрослые. И они на него внимания не обращали. Гоняли на велосипедах, играли в бадминтон, шептались, сидя у Лины в саду. Сережа был бы последним, кого Тамара помнила из своего детства, если бы не то, что очень ее злило. На подругу Лину теть-Клавин сын все-таки внимание обращал.

Когда они были совсем маленькими, он катал Линку на своем «взрослом» велосипеде. Ездил с ней в лес, учил собирать грибы. Тамару собирать грибы учила бабка, а Лину — Сережа.

Потом, когда они подросли и Лина всюду ходила с Костей, Сережа улыбался ей как-то по-особенному, не как всем. Нравилась она ему. Тамара даже удивлялась, что никто этого не замечает, и Линка тоже.

Вот этого Тамара в подруге больше всего терпеть не могла. Линка как будто мало что вокруг замечала, Тамара даже сначала думала, что она притворяется. Ну как можно не замечать, например, что одна соседка другую терпеть не может? Да стоит только раз увидеть, как обе красными пятнами покрываются, когда здороваются, и все ясно. И из-за чего, тоже ясно, если обе незамужние и обе без конца к дачнику-москвичу наведываются.

Линка верила словам, а она, Тамара, собственным глазам. Чутью. Интуиции.

Раньше Линкина наивность ее очень раздражала. Получалось, что подруга будто бы не от мира сего, как ангелочек. Наверное, из-за этого ей так и хотелось отбить у нее Костика.

Странно, раньше ее грело воспоминание, как Линка замерла, открыв рот, когда юная Тамара обнимала юного Костю, а сейчас, у кабинета с табличкой «Овсянников С.М.», нет.

Костя тогда Лину не видел, а Тамара видела. Вообще, с Костей все получилось и продуманно, и случайно. Продумано было ходить вместе купаться на дальний пляж, где народу почти не бывает. А случайно вышло другое — гроза, чудовищной силы ливень и сверкающие совсем рядом, завораживающие, наполняющие холодным ужасом молнии. Они еле успели добежать до беседки в парке. Тамара тогда сильно испугалась и у Кости на груди спряталась от непритворного страха. А потом все получилось само собой и как раз накануне Линкиного приезда.

Конечно, на следующий вечер Тамара к Косте пришла не случайно — знала, что Лина должна приехать, и обняла несчастного запутавшегося парня тоже не случайно, и все получилось как она наметила. Только путного ничего из этого не вышло. Лина уехала, через несколько дней уехал Костя, а следующим летом он старательно делал вид, что ничего не произошло.

Сидеть на неудобном стуле надоело. Тамара лениво поднялась, подошла к окну, вздохнула и решила:

— Зайду в другой раз. Появится — скажите, что я приходила. Не забудьте.

— Не забуду, — пообещала девушка.

Теперь она рассматривала Тамарины босоножки. Босоножки были шикарные, безумно дорогие, купленные в Москве в ГУМе. Тамара давно взяла за правило наведываться в столицу за покупками. На Европу денег у нее нет, а в Турции, где она обычно отдыхает, одно барахло.

Еще раз в меру снисходительно, но доброжелательно улыбнувшись секретарше, Тамара вышла на улицу, перешла на теневую сторону — жарко очень, и по дороге к дому уговаривала себя, что время еще есть.

В знакомом узком переулке все было как прежде, разве что забор бабушкиной подруги оказался выкрашенным свежей бледно-зеленой краской. Лина постаралась вспомнить, какого цвета забор был раньше, и не смогла — забыла. Пройдя по выложенной плиткой дорожке мимо буйных разноцветных георгинов, поднялась на крыльцо, позвонила в новенький, какого раньше тоже не было, звонок.

— Линочка! — ахнула маленькая, кругленькая, совсем седая Антонина Ивановна, — Родная моя! Что же не позвонила? Я бы тебя встретила. Давно приехала?

— Вчера. — Лина обняла старую женщину, чувствуя возвращающееся, давно забытое ощущение счастливого детства.

— Надолго? — вытирая подступившие слезы, засуетилась Антонина Ивановна. — Садись, Линочка. Без обеда тебя не отпущу.

— Спасибо, Антонина Ивановна. — Лина села за стол. — Обедать не хочется. Я с кладбища. Давайте чаю попьем.

— Давай, только сначала бабушку помянем, — доставая из буфета графин с черносмородиновой наливкой, решила старушка. — Как живешь, Линочка? Муж хороший?

— Хороший, — призналась Лина. — Добрый. Поводов для ревности не дает и меня ревностью не изводит. Но жить с ним больше я не могу. Не могу, и все.

А ведь, пожалуй, она не решилась бы окончательно и бесповоротно расстаться со Стасом, если бы не приехала сюда. Если бы не вспомнила себя прежнюю, беззаботную, если бы не разговаривала со старыми бабушкиными подругами, чувствуя общую атмосферу доброты и понимания, чего никогда не чувствовала со Стасом.

— В этом тебе никто не советчик, девочка моя. — Старая женщина ставила на стол баночки с вареньем, печенье, конфеты. — Ты только не торопись. Не делай сгоряча того, чего потом нельзя исправить.

— Ладно, бог с ним. Как вы живете, Антонина Ивановна?

— Без твоей бабушки мне, конечно, плохо, — наконец уселась старушка. — Столько лет прошло, а я никак не привыкну, что ее нет. Мы ведь с ней и в школе вместе учились, и в институте. Да ты знаешь.

Лина кивнула, она знала, какими близкими были старые подруги.

— Всю жизнь бок о бок. А так, конечно, грех жаловаться. Глаза видят, ноги ходят. Скриплю, Линочка.

Они молча подняли рюмки с темной наливкой.

— Царствие ей небесное.

— Царствие небесное, — повторила Лина.

— Она вовсе не собиралась умирать.

— Ну, наверное, никто специально умирать не собирается.

— Да нет. По-разному бывает, — не согласилась Антонина Ивановна. — Мы в последний вечер с ней засиделись. Я печенье испекла, зашла днем ее угостить, а просидела до вечера. Она меня даже провожать пошла, до полпути. Вечер очень хороший был, морозило, но не сильно. Звезды. Снег под ногами искрился. Кто бы мог подумать... Она на следующий день хотела фотографии напечатать, у нас тогда цифровую печать по дороге к супермаркету открыли. Она мне еще пыталась снимки в окошке на фотоаппарате показать, но я не разобрала ничего. Мелко.

— А где сейчас тот фотоаппарат, не знаете? — заинтересовалась Лина. Ей вдруг очень захотелось посмотреть на последние бабушкины снимки.

Тогда она еще не знала, что Кости уже нет в ее жизни, фотографировала бабушку у разломанной вчерашней грозой раскидистой яблони-китайки. Бабушка рассказала, что накануне была немыслимая гроза и молния расколола яблоню почти пополам.

— Откуда же мне знать, Линочка? Наверное, твои мама с папой забрали.

Нет, родители фотоаппарат не забирали, иначе отдали бы его Лине. «Надо найти, — решила она. — Найду фотоаппарат и снимки перекину в компьютер.

В тот вечер она не вспомнила про него, и бабушка забыла сунуть его Лине в сумку. Тогда Лина была уверена, что жизнь кончилась, а бабушка страдала за нее и боялась.

— Когда утром ко мне Клавдия прибежала, я поверить не могла. Она-то, Клавдия, видно, что-то почувствовала, раз в запертый дом войти решилась.

— Бабушка ей всегда ключи оставляла.

— Это ведь она бабушку обнаружила, Клава.

— Я знаю.

— Вот так, заснул человек и не проснулся. Клавдия-то почувствовала, а я нет, — вздохнула Антонина Ивановна. — Хорошим человеком твоя бабушка была, люди около нее отогревались. Та же Клава. Она после смерти Полины совсем нелюдимой стала. И раньше-то была не слишком приветливая, а нынче совсем сычиха сычихой.

— Сережа у вас теперь большое начальство.

— Начальство. Говорят, сейчас все ему принадлежит, и завод, и земля, все. Знаешь, Линочка, советская власть идеальной не была. И идиотизма много было, и вранья, и показухи, но до такой подлости, чтобы прикарманить народную собственность, коммунисты все-таки не додумались. Я этого слова, бизнесмен, слышать не могу. Разве это бизнес? Вот Сережа Овсянников у нас «бизнесмен», государственный завод в свой карман положил. Даже Клавдия, и та людей стесняется, а ему хоть бы что. А ведь мальчишкой хорошим рос, кто бы мог подумать... Теперь еще и во власть полез. А народ за него голосует, за бессовестного.

Лина засиделась у бабушкиной подруги. Пообедали, потом снова пили чай. Домой она вернулась уже под вечер.

Самой большой Тамариной ошибкой было решение явиться к тетке Клавдии.

К Лининой соседке она отправилась сразу, как приехала. Думала, обрадуется бабка, а получилось черт-те что. Та смотрела с недоумением и губы поджимала. Но принесенный торт все-таки ела и Тамару чаем поила. Даже варенье поставила, вишневое, только что сваренное.

Впрочем, Тамара должна была это предвидеть, тетка Клавдия не Лина и не бабушка Линкина Полина Васильевна. Те бы лишних вопросов не задали, и зачем она явилась, если до сих пор никогда не приходила, не спросили бы. Клавдия тоже не спросила, только сразу заявила, что, если Тамаре нужен Сережка, она ничем ей помочь не может. К нему не ходит, а когда он явится, не знает.

Тамара попыталась выспросить, какая кошка пробежала между сыном и матерью и почему тетка Клавдия в сыновний особняк не наведывается, но ничего у нее не получилось. Старуха в людях разбиралась не хуже самой Тамары и все ее хитрости сразу раскусила. Ну и черт с ней.

А с Сережей встретиться необходимо немедленно, сегодня же. Можно опять пойти к Клавдии, объяснить, что сыну угрожает настоящая, реальная опасность. Но это в самом крайнем случае, Клавдию Тамара побаивалась. Мало кого она боялась, а мать Серегину опасалась.

Тетка Клавдия мало с кем по-соседски ругалась и голос почти не повышала, но сразить могла насмерть, причем всего несколькими словами. Один случай Тамара помнила хорошо, хоть и была тогда совсем маленькой. У молодой соседки умер ребенок. Умер, конечно, по собственной соседкиной глупости, молодая мамаша недоглядела, отпустила крошечного мальчишку сырой холодной осенью гулять в легкой курточке. Мальчик простудился, а мамаша опять-таки по собственной глупости долго не вызывала врача, пока наконец мальчишку не увезла «Скорая» с температурой за сорок. В больнице ребенок умер, а непутевая мать почти тронулась рассудком, каждый день ходила на кладбище и таяла на глазах. Конечно, соседи ее осуждали, но и жалели. И только Клавдия, встречая несчастную бабенку, не забывала напомнить, что та сама собственное дитя загубила. А теперь убиваться нечего.

Тамара никогда не запомнила бы эту историю, если бы мама с бабушкой потом долго между собой не ругали Клавдию. И мать, и бабка за словом никогда в карман не лезли, да и деликатностью, это Тамара уже позже поняла, никогда не отличались, но жестокость Клавы Овсянниковой потрясла даже их.

Тамара перекусила купленными вчера блинчиками с творогом, подкрасила ресницы и губы, покрутилась перед зеркалом в очень шедшем ей сарафане и осталась довольна. Бабка считала, что сарафан слишком уж ее обтягивает, а Тамаре нравилось. Ей есть что показать, слава богу. Не то что Линке. Была тощая, такой и осталась.

К вечеру изнуряющая жара спала. Нужно вечером огород полить, напомнила себе Тамара. Раньше ее злило, что бабка, кроме овощей, ничего не сажает. У Лины в саду цветов было много, и Тамаре хотелось иметь такие же. Сейчас она соглашалась, что от цветов одни хлопоты, а толку никакого.

Новый Сережин дом находился недалеко, на соседней улице. Тамара, конечно, почти каждый вечер мимо особняка из красного кирпича прогуливалась, но Сергея ни разу не видела, а позвонить в звонок на глухом высоченном заборе так и не решилась. Даже странно, раньше она никогда особой робостью не отличалась.

Впрочем, не странно. Она прекрасно знала, почему не тянет руку к звонку. Потому что предполагать, что Овсянникова хотят убить, — это одно, а произнести это вслух, рассказать об этом, самой влезть в чьи-то игры — совсем другое.

Сегодня Тамара решительно подошла к закрытым воротам и нажала кнопку звонка. Ей было страшно.

Она звонила и звонила, но никто не отвечал.

Надо идти к Клавдии, тоскливо подумала Тамара. Медленно отошла от ворот и двинулась по безлюдной улице. Потом зачем-то свернула направо, на боковую улицу, обходя особняк главы местной администрации. Черную пыльную «Тойоту», почти скрытую кустами акации, она увидела случайно. «Тойота» жалась к покосившемуся забору, за тонированными стеклами ничего не было видно, но Тамаре казалось — Сережу поджидает убийца.

Машина стояла между участками на крохотном пятачке. Если бы она принадлежала кому-то из соседей, ее поставили бы поближе к собственным воротам.

Тамара дошла до конца улицы и опять свернула направо, к дому неприветливой тетки Клавдии.

Машина может принадлежать кому угодно. Не станут убийцы светиться на крохотной улице, где каждый незнакомец вызывает вполне понятное любопытство. Или станут?

Она понятия не имела, как ведут себя наемные убийцы.

Самое правильное, понимала Тамара, рассказать сейчас все, что знает, Клавдии, а потом сразу же, немедленно, бежать отсюда, навсегда забыв опасную и ненужную информацию.

Она бы так и сделала, если бы ей не хотелось выйти замуж за Овсянникова. А хотелось ей очень.

Не свернув к дому Клавдии, Тамара подошла к калитке подруги Лины. Подруги, которую знала столько же, сколько себя. На которую злилась, которой завидовала и у которой так удачно и в то же время неудачно отбила Костю.

Костино присутствие Лина ощутила раньше, чем увидела его сидящим на ее собственном крыльце.

— На кладбище была? — спросил он.

— Да. — Лина остановилась, подумала и села рядом на ступеньки.

Когда-то он безошибочно угадывал, где она была, что делала и даже о чем думала. Тогда такое духовное единение казалось ей высшим проявлением любви.

— А потом у Антонины Ивановны?

— Да.

— Как она?

— Нормально.

— Лина... — Ему важно было объяснить ей, что она единственная его женщина, его половина. Только с ней он может быть самим собой, настоящим, только ее слова и мысли понятны ему, как его собственные. И лишь это имеет значение, а все остальное — ерунда. Было и прошло, и никогда не повторится.

— Костя! — Лине не хотелось никаких объяснений. Она наобъяснялась со Стасом на всю оставшуюся жизнь.

Они одновременно повернули головы на стук калитки.

— Привет, — поморщилась Тамара. Тонкие каблуки увязали на садовой дорожке, и ей пришлось идти на носках.

— Привет, — в один голос ответила парочка на крыльце.

— Лин. — Тамара постаралась, чтобы голос не дрогнул. Она совсем не ожидала увидеть здесь Костю, и его присутствие почему-то больно ранило. Впрочем, сейчас ей было не до Кости и даже не до сердечных ран. — Ты не знаешь, Сережа не у Клавдии?

— Знаю, — за Лину ответил Костя. — Не у Клавдии. В Москву уехал на три дня.

— Откуда ты знаешь? — Голос у Тамары все-таки дрогнул, то ли от собственных пугающих мыслей, то ли оттого, что здесь оказался Костя, а она получилась лишней.

— Я его встретил... — Костя прикинул, — позавчера. Он к матери приходил. Сказал, на три дня в Москву уезжает. Вчера, стало быть, отбыл.

— А телефона его у тебя случайно нет?

— Телефона нет.

Тамара, кивнув на прощанье, скрылась за плотной июльской листвой.

Раньше с Костей Лине было легко и разговаривать, и молчать. Сейчас разговаривать было легко, а молчать тягостно.

— Пойду, — поднялась она.

— Лина...

— Пока, Кость. До завтра.

Она боялась, что он так и останется сидеть на крыльце, но, когда украдкой посмотрела в окно, его там уже не было.

В том, что фотоаппарат, восемь лет валявшийся без употребления, будет работать, Лина сомневалась. И все-таки, посмотрев во всех возможных местах, куда бабушка могла его убрать, но так ничего и не обнаружив, расстроилась. Фотоаппарат в том давнем несчастливом году ей подарили родители перед самым отъездом. Тогда Лина снимать любила и дорогому цифровому аппарату очень радовалась.

Как хорошо тогда было фотографироваться у яблони-китайки. Расколотая накануне грозой, она стояла еще вся зеленая, и яблоки на отломанной веке бабушка хотела собрать на повидло.

Фотоаппарата Лина не нашла, зато долго рассматривала старые снимки в тяжелых альбомах, пока совсем не стемнело.

Вторник, 3 июля

Тропинин уже знал, что большой пляж, на котором обычно отдыхают горожане, находится выше по течению и гораздо ближе к гостинице, но зачем-то поплелся опять на вчерашнее место. Вышел он сегодня гораздо позже и вчерашнюю девушку увидеть не ожидал, впрочем, он вообще о ней не думал, но столкнулся с ней у того же моста через ручей. Увидел тоненькую фигурку, вежливо кивнул и отчего-то обрадовался. Даже неприятности на заводе перестали навевать тоску.

А неприятности были. Вчера директор мямлил, мялся, но потом уже за рюмкой специально для таких случаев привезенного Тропининым из Москвы коньяка признался — пока не приедет хозяин, Овсянников Сергей Михайлович, акты сдачи-приемки он подписать не может. Овсянников должен приехать завтра-послезавтра, но всей бригадой торчать без работы — для фирмы последнее дело. Заказов много, людей не хватает. И отпустить бригаду нельзя, хоть трудились люди и добросовестно, а засбоить аппаратура при сдаточных испытаниях может, от этого никто не застрахован.

Как и вчера, Тропинин шел за девушкой чуть поотстав. Легкий теплый ветерок раздувал ее рыжеватые волосы, и она время от времени откидывала их с лица правой рукой. В левой она несла босоножки, а шла босиком. Тропинину тоже очень захотелось пройтись босиком, но он не стал — пока будет разуваться, девушка уйдет далеко вперед, шла она быстро. Не бегом же ее потом догонять.

Он смотрел ей в спину и боялся, что она почувствует его взгляд и увидит в этом что-то не совсем приличное, словно у него, Тропинина, других дел нет, кроме как девицам в спину пялиться. Не смотреть на нее ему было трудно, она отчего-то напоминала ему нежную сказочную фею, очень хотелось снова заглянуть в ее синие глаза, и он потешался над собой за это.

Темную машину в кустах Тропинин заметил случайно. «Тойота» стояла метрах в трех от дороги и была скрыта кустарником. Наверное, будь он один, и внимания на нее не обратил бы, но сейчас Тропинин как-то сразу подобрался, в два шага догнал девицу и зло спросил:

— Что вы одна болтаетесь где попало? Приключений ищете?

Она посмотрела на него с удивлением и еле заметно улыбнулась. Его ослепила синева ее глаз.

— Я всю жизнь хожу на речку по этой дороге. Здесь другой просто нет.

— Ну так одна не ходите!

— Спасибо. — Она опять еле заметно улыбнулась. — Я подумаю.

Сегодня бывший попутчик отчего-то очень смущался, и Лину это забавляло. Даже настроение, много месяцев бывшее никаким: ни плохим, ни хорошим, — Лина знала, что это признак затянувшейся депрессии, — сделалось вдруг радостным и полным ожидания, как в юности.

Как и вчера, они оказались одни на берегу. Как и вчера, она медленно входила в прохладную, несмотря на многодневную жару, воду. Неспешно поплыла на противоположный берег.

Тропинин нырнул, доплыл до середины реки, вернулся и наблюдал за ней с берега. Ему вдруг отчаянно захотелось узнать, замужем ли она. И он подумал, что, будь он ее мужем, ни за что не отпустил бы ее одну. Ни на речку, ни в отпуск.

— Я вас провожу, — шагнул он к ней, когда она, наплававшись, подхватила босоножки и брошенную на траву одежду.

— Спасибо, это лишнее.

— Я вас провожу. — Он смотрел мимо нее, давая понять, что возражать бесполезно. Ему не нравилась машина, спрятавшаяся в кустах у дороги.

Она молча пожала плечами — как хотите, и босиком зашагала по дороге.

Машины в кустах не было.

— Давайте познакомимся, что ли, — уже у моста, как дурак, предложил он. — Павел. Тропинин.

Нужно было назвать отчество, запоздало спохватился он. Сорок лет, не мальчик.

— Полина. — Лина остановилась на мгновение, и он опять поразился синеве ее глаз.

— Поля?

— Лина.

— Красивое имя, — похвалил он. Что-то он сегодня несет ахинею. Она может подумать, что для него норма подъезжать к незнакомым девицам. Он разозлился на себя и дальше шел молча. Впрочем, это оказалось еще глупее самых глупых слов.

Она остановилась у калитки внушительного добротного полутораэтажного дома:

— Спасибо. Я пришла.

— Вы каждый день ходите купаться? — Ему вдруг очень захотелось ее удержать.

— По настроению. Спасибо. До свидания.

Она исчезла за поворотом узкой дорожки. Тропинин потоптался и, ориентируясь по солнцу, медленно пошел по нешироким улицам по направлению к гостинице.

Вставать было лень, Тамара любила понежиться в постели. Лежала, размышляла, что делать — очень уж не хотелось снова идти к Клавдии. Встала, только когда почувствовала, что проголодалась. Пока готовила завтрак, решила окончательно, что отправляться к Клавдии надо сегодня же.

Клавдию Тамара никогда не любила, железная была тетка, ничего не скажешь, людей насквозь видела и в выражениях не стеснялась. На выражения Тамаре было наплевать, она и сама за словом в карман не лезла, а вот помешать ей Клавдия вполне могла, Сережа с матерью считался. Клавдия Тамару тоже с детства недолюбливала. Впрочем, она вообще мало кого любила, разве что Линку немного выделяла. Ну оно и понятно, к Лининой бабке Полине Васильевне Клавдия как раз по-соседски хорошо относилась, в подруги набивалась, а с другими только здоровалась сквозь зубы.

Как ни странно, о том, что Сергей местный олигарх, Тамара узнала случайно. Неслась куда-то с бумагами и столкнулась с ним в длинном коридоре областной администрации. Сережа сразу ее узнал, заулыбался, даже за плечи приобнял на какое-то мгновение, как родную. Тамара тогда только отметила, что из долговязого парня он превратился в очень представительного мужчину.

— Ты откуда его знаешь? — спросила у нее Светка Милова, приятельница из соседнего отдела.

— Бабки моей сосед. Ничего мужик, правда?

— Угу. — Светка как-то странно на нее посмотрела. — Он может нас всех тут купить. Только мы ему на фиг не нужны.

— Он что, богатый? — удивилась Тамара. Странно, ведь к бабке она ездила часто и Сережу встречала часто, а видела в нем только захолустного провинциала.

— Да уж не бедный, — засмеялась Светка. — Я бы от такого не отказалась, даже если бы он уродом был, а он вон какой... Красивый.

Красивым Сергея назвать можно только с некоторой натяжкой, обычный мужик, крепкий, с хорошей фигурой и простецким лицом. Впрочем, тогда для нее красивым был только один человек — Иван Болотников, Тамарин начальник и смысл ее жизни.

Тамара решила рассматривать Сергея как запасной вариант. Считала, дура, что в момент отобьет его у любой деревенской клуши. Она была уверена, что заинтересоваться Сережа может только своей, местной. Чувствовала, что никакая столичная красотка ему на фиг не нужна, будь хоть «Мисс мира», хоть нобелевская лауреатка. Конечно, в жизни всякое бывает, но все-таки к столичной публике тянет тех, кто метит в столице остаться, а Овсянникову и здесь неплохо. Сейчас Тамара больше всего жалела времени, потраченного на Ивана.

В Болотникова она влюбилась сразу и так сильно, что превратилась в настоящую дуру. Он был «блатным», естественно, другие в администрацию не попадали, во всяком случае, на руководящие должности. Потом она узнала, что его отец подвизался где-то в строительном бизнесе, выдающихся капиталов не нажил, но полезными знакомствами оброс.

Иван был красив по-настоящему грубой мужской красотой. Еще он был безукоризненно одет, безукоризненно вежлив и по-старомодному учтив с дамами.

Она получила Ивана, почти не прилагая к этому усилий, и прожила два счастливых года, пока вдруг не поняла, что Иван глуп, труслив и жаден.

Дурак и ничтожество.

Конечно, слабости своего любовника Тамара видела и раньше, но даже пользовалась ими. Он был нерешителен, и Тамара решала за него. Он долго колебался, и Тамара убеждала его принять нужное ей решение. На самом деле, ему требовалась няня, и Тамара с удовольствием справлялась с этой ролью.

Любовь прошла еще быстрее, чем возникла, в один день, когда она узнала, что Иван позволил впутать себя в передел собственности. Тамара была умнее своего возлюбленного и потому понимала, что эти игры смертельно опасны даже для людей по-настоящему сильных и решительных.

Для Ивана же, трясущегося после каждого «отката», игры эти были просто непосильными.

Тамара с удовольствием доела молодую картошку, вымыла посуду, надела купальник, взяла купленный недавно дамский роман и улеглась в гамак, привязанный в тени двух старых яблонь.

Читать было лень, она накрыла книжкой глаза и почему-то почувствовала, что план ее удастся. Ивана она любила сильно, даже самой удивительно. Только жизнь она любит гораздо больше.

Бабушкиного друга Николая Ивановича Лина застала в сарайчике, давно переделанном под мастерскую. Всю жизнь проработавший в милиции, Николай Иванович слесарничать любил и маленькую Лину когда-то учил выполнять нехитрую мужскую работу: гвоздь забить, стул починить.

— Ну наконец-то, — проворчал, обнимая ее, постаревший, ставший вроде меньше ростом Николай Иванович. — Я уж думал, ты не придешь.

— Это невозможно, — улыбнулась Лина, — чтобы я к вам не пришла. Откуда вы узнали, что я приехала?

— Работа у меня такая, все знать. Навыков еще не потерял. Как живешь? — Старик повел Лину в дом. — Давай-ка выпьем с тобой. Помянем бабушку. Ты что предпочитаешь, вермут покупной или наливку прошлогоднюю?

— Наливку.

— Как живешь, Лина? — Николай Иванович поставил на стол нехитрую закуску: колбасу, помидоры.

— В иностранной фирме работаю.

— Это я знаю, мама твоя говорила. А... вообще?

— А вообще плохо, — покачалась на стуле Лина. Она уже забыла свою детскую привычку покачиваться на стуле. — Буду с мужем разводиться.

Странно, что ей так легко говорить о своей неудавшейся жизни с посторонними людьми. Впрочем, какие же они посторонние?

— Есть из-за чего?

— Есть. Только объяснять не хочется.

— Ну, не хочется — не объясняй. Помянем бабушку.

Выпили из старинных стеклянных рюмок и помолчали.

— Столько лет прошло, а никак не привыкну, что нет Полины, — совсем как недавно Антонина Ивановна, признался Николай Иванович. — Я ведь бабку твою всю жизнь любил. Два раза к ней сватался, когда совсем молодые были и когда она вдовой осталась. Знала?

— Нет, — покачала головой Лина.

— Было такое дело, — вздохнул он и задумался. — Хоть она мне и отказала два раза, а ближе нее у меня никого не было. Да ты сама знаешь. Кто бы мог подумать, что она уйдет так рано... Мы с ней как раз накануне обсуждали, как бандюганы город поделили.

— Наш город? — удивилась Лина.

— Наш, конечно.

— А разве у вас тоже мафиозные войны были? — удивилась Лина.

— Ну, войны — не войны, а половить рыбку в мутной воде многим хотелось.

— Надо же! Расскажите, Николай Иваныч, мне очень интересно.

— Вот и Полину это интересовало. Группировки были две: Леньки Ковша, то бишь Леонида Ковшова, и Сереги Овсянникова. Ковшовские — обычная шпана, ларечников обирали, ни на что больше не годились. А у Сережки ребята посерьезней были, бывшие армейские, те фермеров прикрывали. И понемножечку городскую недвижимость к рукам прибирали. Сережа-то сейчас хозяин завода, знаешь?

— Слышала.

— Вот так. Хозяин завода и местная власть. Тогда какие-то трения между бандами происходили, но без крови, по-тихому. А потом труп Ковша в реке обнаружили, и Овсянников стал хозяином.

— Он убил? — ахнула Лина. — Ни за что не поверю. Этого не может быть. Сережа щенков бездомных на станцию кормить ходил каждый день, не мог он человека убить из-за того, что какие-то сферы влияния не поделили.

— Ну, что не мог, тут я с тобой не соглашусь, — усмехнулся старый милиционер. — Человек может много такого, что трудно предположить. Но он Ковша не убивал. Это точно. И никто из его компании тоже. Мы их алиби тщательно проверяли, все чисто. Они тогда караулили фермерские хозяйства.

— А кто же убил?

— Не знаю, Лина. Сам с тех пор голову ломаю. Ковша отравили, а утопили уже труп.

— Чем отравили?

— Снотворным. Не совместимым со спиртным.

— Так, может, он... сам?

— Вряд ли, — покачал головой Николай Иванович. — Ему снотворное без надобности при такой-то дозе алкоголя. Нет, Лина, убили Ковша. Только неизвестно, кто так для Сереги Овсянникова постарался.

— А когда это произошло?

— Труп нашли четвертого августа, а смерть наступила дня за два до этого. Летом, перед тем, как твоя бабушка умерла.

Бандита Ковша убили как раз тогда, когда Лина приезжала сюда в последний раз.

Она еще долго сидела со стариком и только уходя поинтересовалась:

— Николай Иваныч, вам бабушка про мой фотоаппарат ничего не говорила? Я его найти не могу.

— Ничего. А что, дорогой аппарат?

— Нет. Это я так. Ерунда.

Почему-то ей не давало покоя отсутствие фотоаппарата.

Лежать было скучно. Тамара сходила за плеером, сунула наушники в уши, опять улеглась в гамак и стала слушать музыку.

Неладное она почувствовала с месяц назад. Иван сделался задумчив, неразговорчив, ей улыбался загадочно и смотрел мимо. Она, конечно, решила, что он завел себе бабу. А что еще думать-то?

Сейчас ей смешно вспоминать свой тогдашний ужас. Ей казалось, она умрет без Ивана, и следить за ним она стала только потому, что очень хотелось убедиться — никакой бабы у него нет.

Тем роковым вечером Иван зашел в отдел, как обычно, делая вид, что по делу, подошел к ее столу и тихо прошептал в ухо:

— Я отъеду ненадолго. Дома встретимся.

Они уже давно жили «гражданским» браком. Тамара хотела брака настоящего, но Иван не спешил, а она не настаивала. Знала, что без нее, без ее опеки он и дня не протянет. Привык, что она с ним нянчится, как с младенцем.

Пока Иван садился в их «Опель», который они оставляли на служебной стояке, Тамара поймала бомбилу и спокойно доехала за ним до ресторана, где они изредка бывали. Выждала минут десять, тихонечко вошла в почти пустой зал и села весьма удачно, ее скрывала нелепая пальма в кадке, а спину Ивана она видела хорошо. Он долго сидел один и очень нервничал, менял позу, барабанил пальцами по столу. Тамара уже решила, что удачно начавшаяся слежка ни к чему не приведет, когда, в очередной раз подняв глаза, увидела рядом с Болотниковым мужчину.

Мужчину этого, Всеволода Валерьевича, она узнала через несколько минут, он изменился за те годы, что Тамара его не видела. В девяностые он руководил охраной рынка, на котором торговала мать. Школьницей Тамара бывала там почти каждый день. Мать добросовестно платила положенную сумму, охранников хорошо знала, и Тамара их знала, она уже тогда была наблюдательна и умела делать выводы. На рынке все было чинно, спокойно, охранники с Тамарой шутили, угощали конфетами, некоторые даже помогали ей с уроками. Училась она всегда с трудом.

Всеволод Валерьевич — правая рука настоящего хозяина рынка, о котором никто никогда не говорил, словно его и не существовало. В последние несколько лет Тамара на рынке почти не бывала, но знала, конечно, что хозяин уже давно почти олигарх, что мнение его для действующей власти является если не определяющим, то весьма значимым. А Всеволод Валерьевич по-прежнему является его правой рукой.

Можно было уходить, Иван ей не изменял, он просто ввязался в какие-то игры, о которых не сегодня-завтра сам же расскажет. Она с удовольствием съела салат, который до этого только поковыряла, подумала и заказала десерт: мороженое с кусочками фруктов.

Жизнь опять стала ясной, понятной, а Тамара влюбленной и счастливой. Если бы она ушла тогда сразу же, она и сейчас была бы влюбленной и счастливой.

Тамара доела десерт, наблюдая, как Всеволод Валерьевич без конца говорит с кем-то по мобильному, расплатилась и тихо вышла из пустого зала.

Еще одного человека, которого тоже почти забыла, она увидела, спустившись со ступеней ресторана. Но она не почувствовала ужаса.

О том, что забыла зарядить мобильный, Лина вспомнила случайно, и сразу пополз ставший привычным за последние годы вязкий страх. Она давно старалась ничего не забывать и ничего не упускать из виду, потому что любая ерунда вроде отключенного телефона могла вызвать самый настоящий скандал.

А ведь впервые Лина подумала о разводе год назад. Нет, еще не о разводе, только о том, что без Стаса ей лучше. Тогда они со Стасом поссорились как раз из-за отключенного телефона. Вернее, начали из-за телефона, а потом наговорили друг другу столько, что повод уже значения не имел.

У Лины разрядился телефон. Придя с работы, она сунула его в зарядное устройство, позвонила Стасу, но тот оказался недоступен, и занялась обычными домашними делами.

— У тебя отключен мобильный? — спросил муж, едва отперев дверь.

— Да, — крикнула она из кухни. — Разрядился. Я его заряжать поставила. Я тебе звонила, но ты, наверное, в метро ехал.

— Ты это специально сделала? — с тихим бешенством спросил Стас, раздевшись и войдя в кухню.

— Что сделала? — не поняла Лина. Вернее, поняла, конечно, только не хотела верить, что вместо тихого вечера после изматывающего трудового дня ее ждут еще более изматывающие объяснения.

— Ты ведь специально отключила телефон? Чтобы я поволновался, да?

— Стас, — устало произнесла Лина. — Ну что ты несешь? Зачем я стала бы отключать мобильный? Мне ведь не только ты звонишь, родители могли позвонить. Да мало ли кто.

— Значит, ради родителей ты можешь следить за телефоном, а ради меня нет?

— Знаешь, Стас, мне иногда кажется, что ты ненормальный. — Конечно, этого не стоило говорить, но она слишком устала на работе и ждала тихого вечера, поэтому и не сдержалась.

— Я? — усмехнулся он. — Наверное, если на тебе женился.

Он еще что-то говорил, и Лина говорила. Тогда и подумала впервые, как хорошо было бы дома одной, без него.

Тогда она не придала значения этой мысли. Они помирились, Стас просил прощения, и она просила, он вытирал ей слезы, обнимал, и вечер окончился вполне мирно.

Лина знала, что истериком в полном смысле этого слова Стас не является. Он был заботлив, не позволял ей носить тяжести, никогда не забывал поздравить ее с их семейными праздниками. Для кого-то он мог стать прекрасным мужем. Какая-нибудь «другая» в той же ситуации с телефоном кинулась бы ему на шею и сразу начала бы каяться, и он не стал бы разговаривать свистящим шепотом, и они провели бы прекрасный семейный вечер.

С Линой они ссорились постоянно. Может быть, потому, что по-разному смотрели на жизнь. А может, просто потому, что Лина никогда не любила Стаса так, как любила Костю.

Она приладила зарядное устройство на кухонном столе. Посмотрела в телефон — звонка от Стаса не было, и слава богу.

Ей не стоило выходить за него замуж. Просто тогда ей казалось, что она нашла свое счастье. И очень хотелось забыть Костю. Совсем забыть.

Лина поднялась на второй этаж — его пристроил папа, когда у родителей появились лишние деньги, лет десять назад. Нет, двенадцать. Бабушка утверждала, что размеры дома ее вполне не устраивают, но родители настояли. Комнатные перегородки на втором этаже так и не сделали, частично перетащили туда старую мебель, но, как ни странно, получились несколько уютных уголков.

Здесь бабушка оборудовала себе нечто вроде рабочего кабинета. Заполняла счета, писала письма многочисленным подругам, школьным, институтским или совсем случайным, как тетя Римма, с которой она познакомилась на отдыхе в каком-то санатории.

Перерыв письменный стол, Лина в задумчивости постояла у окна. Если бабушка интересовалась тогдашними событиями, должны были остаться хоть какие-то следы этого интереса. Газеты, например. Родители из ее стола ничего не выбрасывали, папа несколько раз просил Лину, чтобы она разобрала бумаги. Родители вообще очень хотели, чтобы она продолжала считать бабушкин дом своим.

Она и считала. Только боялась увидеть Костю.

Лина спустилась вниз, на крыльце выкурила сигарету, переоделась из шортов в легкие брюки и блузку и отправилась в городскую библиотеку.

Готовить тоже было лень. Тамара опять сделала салат из огурцов и помидоров, достала из холодильника кусок колбасы, пожалела, что нет хлеба, и с удовольствием съела отличный обед для бедных.

Вообще-то готовила она хорошо. Во всяком случае, для Ивана очень старалась, блюда подавала не хуже, чем в ресторане.

Если бы она не увидела тогда у входа в ресторан Филина...

Про Филина Тамара узнала случайно, еще школьницей. Ошивалась у матери на рынке, любовалась новеньким мобильным телефоном — тогда они не у всех были. Ей мобильный подарил тогдашний материн «муж» дядя Шурик. Он вообще был самым лучшим из всех материных «мужей», Тамара очень хотела, чтобы он оставался подольше. Мать-то каждый раз надеялась, что очередной «муж» будет как у всех других, навсегда, но Тамара чувствовала — это ненадолго. Откуда у нее появилось такое знание, она и сама не понимала, но чутью своему верила.

Вообще-то у матери все «мужья» были неплохими, Тамару никогда ничем не обижали, да она и не позволила бы, поскольку дочку любила и матерью была хорошей. Может, права бабка, на роду им написано быть несчастливыми. Одинокими. А ведь красавицы, и мать, и бабка, и сама Тамара...

Тамара любовалась новеньким мобильником, а дядя Шурик — он работал в охране рынка — о чем-то разговаривал с матерью, прислонившись к прилавку с одеждой. Мать, как обычно, попеняла ему, чтобы не прислонялся, не загораживал прилавок от покупателей, когда мимо прошел незаметный паренек. Худенький, невзрачный. Тамара, хоть и была примерной девочкой, на молодых людей все-таки поглядывала и мечтала о мужчине крупном, сильном. Таком, чтобы все боялись.

— Филин, — прошептал дядя Шурик.

— Что? — не поняла мать.

— Тише! Потом, — оборвал ее Шурик, и Тамара насторожилась, он никогда на мать не покрикивал.

Поздно вечером, когда старшие думали, что Тамара спит, Шурик рассказал, что Филин этот киллер, причем киллер настоящий, на больших людей работает. Тамара не запомнила бы этого разговора, если бы в голосе дяди Шурика не расслышала по-настоящему тревожные нотки.

Дядя Шурик давно исчез из Тамариной жизни, а Филина у ресторана она узнала мгновенно...

Увидев его, Тамара совсем не испугалась. Шел Филин к Всеволоду Валерьевичу, потому что больше в зале просто никого не было. Ну и что? Мало ли за какой надобностью может встречаться бывший руководитель охраны с тем же Филином, или как там его зовут на самом деле?

В свое время обстановка на рынке была тихая, но Тамара уже тогда понимала, что тишина эта дается не даром, и это спокойствие обеспечивается чьими-то мощными интересами, и обо всем этом лучше не знать. Вот и сейчас существуют вещи, о которых лучше не знать.

Она поймала машину, обнаружила дома задумчивого Ивана и только за ужином, когда он наконец-то стал выкладывать ей события последних недель, почувствовала настоящий ужас. Глупенький, не знающий жизни ее возлюбленный взахлеб рассказывал, что они скоро разбогатеют. Надо только помочь нужным людям

правильно оформить документы на завод Овсянникова. Ты о нем должна знать, говорил
Иван, завод находится в городе, где бабка твоя
живет.

Тамара Сережу Овсянникова знала с самого
детства, поэтому молча поднялась из-за стола и
стала не торопясь, спокойно собирать свои вещи.

— Ты что, Том? — не понял Иван.

— Я от тебя ухожу, — спокойно объявила она.

— Что?! — опешил он. — Ты с ума сошла?

— Я хочу иметь семью, — процедила Тамара,
удивляясь, что от немыслимой любви не осталось
ничего, сразу и навсегда.

— Тома... — Он не мог поверить в происходя-
щее. — Томочка, ну давай поженимся!

Она ушла, не утруждая себя объяснениями. Да
и что объяснять? Что он дурак и ввязывается в
то, что ему не по уму? Что Сережа Овсянников,
то есть Сергей Михайлович, не тупой браток-рэ-
кетир и то, что ему принадлежит, просто так не
отдаст?

То есть сначала она попыталась объяснить.
Сказала, что в противозаконные игры ввязывать-
ся не станет ни за какие деньги, но Иван не понял. Стал утверждать, идиот, что им это ничем
не грозит, нес какую-то чушь, ей даже слушать
было противно.

Никто и никогда не даст ему денег, тем более больших, настоящих. Прихлопнут как муху
или заставят всю оставшуюся жизнь отрабатывать
бандитские подачки.

Ей так захотелось рассказать обо всем Сереже Овсянникову, рассказать и почувствовать себя в безопасности, что она поехала к бабке в тот же вечер.

Она только удивлялась, что так долго не пыталась поменять Ивана на Сережу.

Но вот с Сергеем так до сих пор и не встретилась.

За хлебом все-таки сходить надо. Тамара нехотя оделась, подкрасила губы — ненакрашенной она не ходила никогда и никуда — и отправилась в ближайший магазин.

Неожиданно Тамара почувствовала неприятный холодок — плохо, если Сергей узнает, что когда-то она отбила у Лины Костю. Конечно, все это дела давно минувшие, но сейчас Тамаре хотелось, чтобы Овсянников ничего не знал. Да он и не может знать, едва ли Полина Васильевна рассказала Клавдии, почему внучка ни с того ни с сего уехала, не успев приехать. Или рассказала?

Тамара купила восхитительно пахнущую буханку черного хлеба, не удержалась, отломила кусочек от корочки, съела и, перейдя на теневую сторону утопающей в зелени садовых деревьев улицы, медленно пошла домой.

Она отметила, конечно, что входная дверь оказалась открытой, но испугаться не успела, только удивилась — ей казалось, что дверь она заперла. Испугалась она через мгновение, когда сидевший на ее кухне Филин ласково произнес:

— Привет.

Библиотека почти не изменилась. Сделали ремонт, заменили книжные шкафы, но сама атмосфера тихого спокойствия осталась прежней, как при бабушке. Она раньше заведовала библиотекой, и Лина приходила сюда почти каждый день. Теперь заведующей стала бабушкина подруга.

— Здравствуйте. Антонина Ивановна работает сегодня? — обратилась Лина к сидевшей в углу за стойкой совсем молоденькой девушке.

— Работает, — кивнула та, разглядывая Лину, и хмуро спросила: — А зачем она вам?

— Я ее давняя знакомая.

— Линочка, — обрадовалась появившаяся из глубины книжного зала Антонина Ивановна. — Заглянула ко мне? Вот умница. Хочешь чаю? У меня есть пирожки и печенье, сама пекла.

— Спасибо, — отказалась Лина. — Жарко очень. Я печенье сухим пайком возьму. Антонина Ивановна, я у вас кое-что спросить хочу.

— Пойдем. — Новая заведующая провела Лину в кабинет, совсем не изменившийся, почти такой же, как при бабушке. — Столько лет прошло, а все-таки не хватает мне Полины. Поговорить не с кем, я да две молодые девчонки, вот и вся библиотека. Что случилось-то?

— Ничего не случилось, — успокоила ее Лина, присаживаясь за стол напротив нее. — Мне Николай Иванович сказал, что бабушка интересовалась вашими тогдашними событиями. Вам она ничего не говорила?

— Какими событиями? — не поняла Антонина Ивановна. — Она всегда всем интересовалась, и политикой, и вообще.

— У вас бандита какого-то там летом убили...

— А-а, было такое. Убили одного парня, я уже не вспомню, как его звали. Убийц, по-моему, так и не нашли.

— А бабушка с вами про это убийство не разговаривала?

— Разговаривала, наверное. У нас редко кого убивают, ты же знаешь. Но такого, чтобы она как-то по-особому этим интересовалась, я не припомню.

— Антонина Ивановна, можно я тогдашние газеты посмотрю?

— Смотри, конечно, — улыбнулась старая женщина. — У нас и ксерокс есть, печатай, если что заинтересует. Хочешь убийцу поискать?

— Сама не знаю, чего хочу, — призналась Лина.

Ничего нового из газет она не узнала. Труп Леонида Ковшова, предпринимателя, был обнаружен в реке рыбаками, убийц так и не нашли. Она зачем-то отксерила себе фотографию Ковшова, лицо вроде бы казалось знакомым. Впрочем, у нее плохая память на лица.

С Костей она столкнулась, едва выйдя из библиотеки, и по дороге к дому опять почувствовала, как тягостно с ним молчать.

— Ты когда уезжаешь? — не выдержала Лина.

— Это зависит от тебя, — задумчиво произнес он. — Я без тебя не поеду.

— Костя, — попросила Лина. — Перестань. Это невозможно, и ты прекрасно это понимаешь.

— Почему? — Он остановился и одной рукой повернул ее к себе. — Я люблю тебя. И ты меня любишь. Почему мы не можем начать все сначала?

Еще совсем недавно Лина была уверена, что, несмотря ни на что, любит Костю и будет любить вечно. Теперь она так не считала.

— Сейчас мы с тобой совершенно чужие люди.

— Я люблю тебя.

— Нет, — уверенно произнесла Лина. — Не любишь.

— Откуда ты знаешь? — криво усмехнулся он.

— Знаю.

Любил бы, не стал бы ждать столько лет, давно приехал бы в Москву и сделал все, чтобы она его простила. Во всяком случае, попытался сделать.

— Я не мог к тебе приехать. — Он так и не разучился угадывать ее мысли. — Мне было невыносимо видеть тебя замужней.

— Хватит, Костя. Не надо. Я тебя прошу. — Лина остановилась, взявшись рукой за собственную калитку.

— Пойдем на речку?

— Я уже купалась сегодня.

— Ты поэтому не ходишь со мной купаться?

— Что? — не поняла Лина.

— Ты не ходишь со мной купаться, чтобы показать мне, что мы чужие люди? — Сейчас он' поразительно напоминал ей Стаса. То же выражение глаз, тот же наклон головы. Те же слова.

— Я хожу на речку одна, — терпеливо объяснила Лина. — Потому что люблю купаться утром, до жары, а ты любишь поспать. Раньше любил, во всяком случае. А я привыкла жить, не сверяя с тобой свои поступки. Извини, если тебя это обидело. Пока, Костя.

Лина толкнула калитку и, не оглядываясь, пошла к дому.

— Привет, — повторил Филин. — Заходи и закрой дверь.

Тамара прикрыла дверь, переступив непослушными ногами, и почему-то со злостью подумала о Лине — та на ее месте, наверное, упала бы в обморок от ужаса, и ей было бы не так страшно, как сейчас Тамаре. И вообще, к Линке никакой Филин никогда бы не пришел, она киллеров только в кино видела, а на рынок ходит лишь покупать продукты и знать не знает, что значит стоять за прилавком в любую погоду.

— За хлебом ходила? — Филин посмотрел на целлофановую сумку с торчащей из нее буханкой. — Это хорошо, я без хлеба есть не люблю.

Он шел за ней от самого вокзала, слабо маскируясь, и не сразу понял, что ему наблюдать за ней приятно — девка была по-настоящему красивой — и почему-то даже весело. Это было совершенно ненужно и даже очень опасно, Филин попробовал призвать себя к порядку, но не смог. Сейчас ему тоже было приятно и весело на нее смотреть.

«Он не убьет меня, — почему-то подумала Тамара. — Сейчас точно не убьет».

— Садись, что ты в дверях застыла?

Тамара с трудом, как старушка, передвигая ноги, подошла к столу, поставила сумку с хлебом, помедлила и села напротив Филина.

— А почему ты не спрашиваешь, кто я? Ты меня узнала, золотце?

Тамара кивнула, сглотнув слюну:

— Нет. То есть да. Я видела вас недавно... у ресторана «Долма»... Это не здесь...

Он прикрыл глаза — помню, что не здесь.

Пусть он думает, что ей ничего о нем не известно. Только бы не догадался, что она знает о нем со времен дяди Шурика.

Лицо у него было самое обычное, даже не злое. Она цепенела от ужаса, глядя на его лицо.

— И сразу запомнила? — усмехнулся он.

— Да. У меня хорошая память на лица. Я занималась рисованием. — Это была и правда, и неправда, она действительно когда-то ходила в художественную школу, только особой памятью на лица никогда не отличалась.

— Что же ты делала в ресторане «Долма»? И как оказалась в этом городе? Рассказывай, рассказывай, золотце. Подробно, время у нас есть.

— Следила за своим женихом, — буркнула Тамара. — У меня жених, Иван Болотников, мы с ним работаем вместе.

Филин кивнул — знаю про такого.

— Я думала, он девку завел, проследила за ним, а он в ресторане с каким-то мужиком встречался. Вот и все. Я успокоилась и решила поехать домой. А когда выходила, вас встретила.

Филин хмыкнул и покачал головой. Тамаре показалось, что он ей верит. Впрочем, она говорила истинную правду.

— Ну, а здесь ты как очутилась?

— К бабушке приехала. У меня бабушка здесь живет.

— Не зли меня, золотце, — укоризненно попросил он. — Рассказывай.

— Я не хотела во все это впутываться. — Тамара подняла на него глаза и вздохнула. — Мне Иван все рассказал, ну... что у Сергея Овсянникова нужно завод отобрать. Я Сережу с детства знаю, он ничего своего просто так не отдаст. И жениха своего знаю, у него против Овсянникова никаких шансов. Вот я и уехала к бабушке от греха подальше.

— А к Овсянникову вчера зачем ходила? Предупредить решила?

Тамара кивнула.

Не зря она обратила вчера внимание на черную «Тойоту» у дома Сережи. Впрочем, машина могла и случайно там оказаться, наверное, у Филина есть свои методы наблюдения.

— Занятно, — усмехнулся он. — Ты ведь меня утром на площади узнала?

— Нет, — соврала Тамара. — Сначала не узнала. Лицо показалось знакомым. Потом вспомнила, что видела вас недавно у ресторана, когда за Иваном следила.

— Ну ладно. — Кажется, он поверил. — На площади что делала?

— Бабушку провожала. Она в областную больницу поехала.

— Надолго?

— Как получится. Ее на обследование направили. Дня на три, наверное. Не знаю.

— Бабуля твоя, если вернуться надумает, позвонит?

— Да, — заверила Тамара. — Обязательно. Она с вещами, ее встретить нужно будет.

— Ну и отлично, — подытожил Филин. — Я вот рисованием не занимался, а тебя тоже сразу узнал. Причем узнал еще на площади. Овсянникова сейчас в городе нет, но приедет он со дня на день. И придется тебе, золотце, его сюда привести.

— Но... — опешила Тамара. — А если он не захочет?

— Надо, чтобы захотел, — улыбнулся Филин. — Ты уж постарайся.

Осадок от разговора с Костей был таким же тягостным, как от ссор со Стасом.

Собственно, со Стасом она начала встречаться, потому что он казался ей похожим на Костю.

Нет, не только поэтому. Еще потому, что больше у нее никого не было.

И всегда подсознательно чувствовала, что виновата перед ним.

Лина бросила на кухонный стол файловую папку с фотографией Ковша, включила электрический чайник, который появился уже после смерти бабушки, и тупо уставилась в окно.

Она познакомилась со Стасом через год после своего бегства от Кости. У нее была очередная производственная практика, она пришла в незнакомый НИИ, в незнакомый научный коллектив, все там казались ей страшно умными и взрослыми, и она почти не обратила внимания на молодого инженера, скупо улыбающегося ей в лаборатории.

Потом они вместе разбирались в только что смонтированной установке, то есть разбирался Стас, она-то почти ничего не понимала, и он терпеливо ей объяснял. Тогда он и напомнил ей Костю. Не внешне, хотя они оба были высокими и стройными, сероглазыми и светловолосыми. Напомнил скупой улыбкой, некоторыми словечками, снисходительным к ней отношением, грубоватой заботой.

«Одежку не забудь», — говорил ей Костя, когда они шли вечером гулять, и она послушно брала кофту, замирая от счастья.

«Накинь что-нибудь, — говорил Стас, — холодно под вытяжкой». Лина накидывала ветровку, под вытяжной вентиляцией действительно сквозило.

Потом Стас проводил ее домой, потому что шел дождь, а у нее не было зонта. А потом ей стало казаться, что она нашла свое счастье.

Тогда она еще не знала, что счастье очень скоро превратится в тоскливую цепь непонятых претензий, долгих объяснений и чувства постоянной вины.

Она сразу дала себе слово, что не будет сравнивать Стаса с Костей.

Но постоянно их сравнивала.

— Принимай товар, — говорил ей Стас, приходя из магазина с продуктами, и отодвигал ее одной рукой, когда она пыталась его обнять. Она мешала ему раздеваться.

Костя откликался на каждое ее движение. Он целовал ее, не сняв мокрую куртку, весь вымокший под проливным дождем, пока бежал к ее дому. Они тогда собирались в кино, но так и не пошли из-за того же дождя...

— Лина!

— Тетя Клава, — обрадовалась она, заметив соседку, когда та уже поднималась по крыльцу.

— Ты бы, Лина, вишню обобрала, — села на стул соседка. — Падает ягода. Хочешь, помогу? Все равно делать нечего на пенсии-то.

— Ну что вы, я сама. У вас свой сад вон какой огромный.

— Ну смотри. А то мне ведь в радость тебе помочь.

— Спасибо. Завтра соберу ягоды и сахар куплю на варенье.

— Что это у тебя? — Тетя Клава взяла старую газетную копию, посмотрела и опять положила на стол. — Сережку моего тогда затаскали. Я, Лина, сына не оправдываю, честно денег, таких как у него, не заработаешь. Но убить-то он никого не мог, ты же его знаешь.

— Конечно, не мог, что за глупость? — Лина заварила чай и поставила на стол купленное вчера печенье.

— Вот именно, глупость. А Николай Иваныч считает, что это он бандита этого, Ковшова, убил. Хорошо, что Сережки в тот день в городе не было и его сотня людей видела, а то бы засадили парня.

— Ну что вы, теть Клава. — Лина разлила чай в бабушкины чашки. — Николай Иваныч умный человек, никогда бы невиновного не обвинил.

— Ладно, бог с ними. — Соседка взяла чашку, отпила — горячо, и опять поставила.

— Теть Клава, вы не знаете, куда бабушка могла фотоаппарат положить? — Лина тоже отпила чаю и тоже поставила чашку — горячо.

— Фотоаппарат? Какой?

— Я тогда... — Лина смутилась. — В последний раз... Фотоаппарат привезла, мы с бабушкой еще друг друга фотографировали. Теперь не могу найти. Она вам ничего не говорила?

— Нет. Не говорила. — Соседка пытливо посмотрела на Лину. — А дорогой аппарат-то?

— Нет. Не в этом дело. Неважно, это я так...

— Я завтра к сестре собираюсь. В деревню. Дня на два... — сообщила соседка.

Лина помнила, что у тети Клавы в недалекой деревне живет сестра, и даже помнила, что ее зовут Надей.

И опять Лине показалось, будто время повернуло вспять, так уютно и спокойно они разговаривали с соседкой. Ей даже показалось, что она сама становится немного другой, почти такой же, как когда у нее еще был Костя.

Соседка ушла, когда уже стало смеркаться.

— Не сиди как на похоронах, — хмыкнул Филин. — Давай поужинаем, я есть хочу. И не бойся, я тебя не обижу.

— Овощей набрать на огороде можно? — поднимаясь со стула, робко спросила Тамара.

— Конечно, — кивнул он. — Даже нужно. Что ты спрашиваешь? Ты же у себя дома, хозяйка. А я твой гость.

Я могу убежать, уговаривала себя Тамара, срезая огурцы на длинной грядке.

Она знала, что не убежит — ноги плохо слушались, как в страшном сне. Нужно было думать, как спастись, а в голове противно звенела пустота.

Открыв банку тушенки, Тамара вывалила содержимое в кастрюлю, высыпала туда же очищенную картошку и поставила на плиту, нарезала овощи, заправила маслом салат, достала из холодильника колбасу, и Филин стал таскать кусочки из-под ее ножа, не дожидаясь, пока она сложит их на тарелку. Все выглядело очень мирно, по-домашнему. И это заставляло ее еще больше цепенеть от ужаса.

— Бросить решила Болотникова?

Тамара кивнула, потыкала картошку тупым ножом и навалила Филину полную тарелку импровизированного жаркого.

— А сама чего не ешь?

— Не хочется. — Она присела на краешек стула, подумала и взяла кусочек колбасы.

— А почему? Зачем бросать-то? Парень Болотников видный, не бедный.

— Объясняла же, — пожала плечами Тамара. — Сергей Овсянников... Иван слаб против него.

— И ты решила на сторону сильного переметнуться?

— Угу. — Она съела колбасу и потянулась за вторым куском.

— Вот тут ты ошиблась, золотце. Иван твой, может, и полный ноль, но люди за ним стоят серьезные. Покруче Овсянникова. Так что сделаем дело, и возвращайся к своему Ивану.

«Он меня успокаивает, — отстраненно подумала Тамара. — Он меня убьет».

— Спасибо, — чуть отодвинул опустевшую тарелку Филин. — Очень вкусно, правда. Давай теперь чайку.

Убирая со стола грязную посуду, Тамара чувствовала, что в голове больше нет звенящей пустоты. Теперь она знала, что делать.

Чай для Филина получился крепкий, душистый, она сама такой любила.

— А сама что, не будешь? — удивился он.

— Я не пью на ночь чай. То есть пью, только травяной. — Тамара залила кипятком аптечный пакетик с успокаивающим чаем.

— Ну как знаешь, — с сомнением покачал он головой. — Если тебе это нравится...

Все получилось так просто, что она боялась этому поверить. Подсыпать в заварной чайник бабкиного снотворного оказалось совсем легко.

Он сейчас заснет, уговаривала себя Тамара. Он заснет, и все кончится.

Разбирать бабушкины бумаги было грустно, но вместе с тем занятие это отчего-то успокаивало. Лина сложила все письма в найденную здесь же, на втором этаже, коробку. Коробка была необычная, оригинальная, несмотря на пошлых ангелочков на крышке, то ли бабушка пожалела ее выбросить, то ли мама. Лина поставила коробку в угол и принялась за ежедневники. Ежедневники бабушка любила, заранее отмечала в них дни рождения людей, которых необходимо поздравить, составляла списки продуктов, которые нужно купить, отмечала «благоприятные» и «неблагоприятные» с астрологической точки зрения дни. К астрологии она всегда относилась серьезно и с юмором одновременно, а заодно опасалась понедельников, пятниц и тринадцатых чисел.

В открытое окно залетела серая ночная бабочка, стала биться о плафон настольной лампы. Лина выключила лампу, постояла у окна, глядя на темный сад, и неожиданно подумала о недавнем попутчике, с которым дважды сталкивалась у речки. Думать о нем было отчего-то радостно, и очень хотелось встретиться с ним завтра.

Бабочка перестала шуршать крыльями. Лина вернулась к столу и, опять включив лампу, принялась листать ежедневник.

На странице за второе августа взгляд замер случайно, Лина даже не сразу поняла, что это как раз день ее несчастливого приезда. Очень уж странным показался написанный бабушкиной рукой текст: «Тележка? Тележка!» и еще несколько раз «Тележка!».

Лина поразглядывала ровные буквы. Глупость какая.

Долистала ежедневник и опять вернулась ко второму августа. Глупостей бабушка обычно не писала.

В тишине, какой никогда не бывает в Москве, телефон заиграл громко и тревожно.

— Да, Стас, — ответила Лина, мельком взглянув на дисплей.

— Ты ничего не хочешь мне сказать?

— Мне нечего сказать. — Лина поудобнее перехватила телефон и откинулась в кресле.

Голос мужа показался ей измученным, усталым, захотелось заплакать от жалости к нему, к себе и ко всей их неудавшейся жизни.

— Приезжай, Лина. Здесь отдохнешь. Когда я вернусь, нормальную путевку быстро точно не найдем, и будет у нас потерянное лето. Приезжай. Мне плохо без тебя,.

— Тебе плохо со мной, Стас, — мягко поправила Лина.

— Ты меня не любишь?

Конечно, она его любила. Не так, как когда-то Костю, но любила. Беспокоилась о нем, переживала за него. Но... вместе они несчастны, и с этим ничего нельзя поделать.

— Стас, ты помнишь, как мы расстались?

Расстались они ужасно. Ей пришлось задержаться на работе, они сдавали заказчикам новую систему, Лина не могла уйти, пока не проведут все запланированные испытания, и едва добралась до дома, когда Стасу уже нужно было уезжать. У подъезда ждало такси, Лина поехала вместе с мужем в аэропорт, всю дорогу слушая, что она специально треплет ему нервы, что она его ненавидит, что ей наплевать на него и она вышла за него замуж, потому что не нашлось другого дурака, который бы на ней женился.

Любая другая обязательно его проводила бы.

Любая другая собрала бы его вещи.

Любая другая ценила бы такого мужа, как он, отправляющегося к черту на рога, чтобы заработать для нее денег.

Сначала Лина пробовала возражать, потом оправдывалась, потом тихо плакала. Затем, уже у таможенной стойки, молча глядела ему вслед, он так и не поцеловал ее на прощание, даже не обернулся, отлично зная, что она не уйдет, пока он не скроется за спинами отправляющихся на посадку людей.

Он неделю не отвечал на ее звонки.

— Ты же прекрасно знаешь, что я не могла прийти раньше. Не могла.

— Любила бы, смогла бы.

— Стас, ну ты же не дурак. Я не могла уйти, пока идут испытания. И ты это понимаешь. Зачем ты устроил весь этот балаган? Ну зачем?

— Балаган? — взвился он. — Я тебя ждал до последней минуты, а ты называешь это балаганом?

— Стас, давай разводиться, — устало попросила Лина. — Так нельзя жить, понимаешь? Мы же не можем сказать двух слов, чтобы не поругаться.

— Разводиться? — Лина слышала, как он усмехнулся. — Ну давай. Давай. Останешься одна, дура. Тебя что, очередь женихов ждет? Да если бы не я... Ты бы в девках сидела до сих пор.

Лина отвела телефон от уха и тупо смотрела сначала на светящийся, а потом на погасший экран. Какое-то время до нее доносился голос Стаса, хотя слов было не разобрать.

Потом она просто сидела в тишине, вытирая слезы ладонью.

Как действует снотворное, Тамара знала плохо, сама никогда не пила и бабушку не расспрашивала. На Филина оно никак не действовало.

Он пил чай, расспрашивал ее об Иване, о родителях, Тамара нехотя отвечала. Сначала сквозь зубы, а потом сама не заметила, как разговорилась. Собеседником Филин оказался хорошим, внимательным и с юмором.

— Ты не возражаешь, если я у тебя поживу? — наконец спросил он.

— Так если и возражаю, — пожала плечами Тамара, — вы же не уйдете.

— Не уйду, — посочувствовал он. — Ты уж потерпи.

Устроился он на диване в соседней комнате. В свою спальню она закрыла дверь неплотно, долго, стараясь не дышать, пыталась расслышать звуки из соседней комнаты и ничего не слышала. Несколько раз проверяла время на зажатом в руке мобильном и наконец решилась. Осторожно спустила ноги с постели, на цыпочках, молясь, чтобы не скрипнули половицы, добралась до окна, тихонько раскрыла створку и скользнула вниз на росшие вокруг дома мальвы.

На секунду замерла под окном, почти парализованная ужасом и боясь стука собственного сердца. То ли Бог помог, то ли снотворное подействовало, но никакой погони за ней не было, она метнулась от дома к низким вишням, перебралась на соседский участок, а оттуда, прижимаясь к заборам, побежала по плохо освещенной редкими фонарями улице.

В безопасности она почувствовала себя, только когда заспанный Костя выглянул в окно на ее стук. Она чуть не расплакалась от навалившейся после пережитого ужаса слабости.

— Тома? Ты что? — с недоумением оглядев ее, удивился Костя.

Тамара только теперь осознала, что стоит босая, в трусиках и мятой футболке, в которых лежала, выжидая, когда уснет Филин.

— Костя, впусти меня, — непослушными губами проговорила она. — Впусти, я тебе сейчас все расскажу.

— Какого черта?.. — Даже при лунном свете Тамара видела, что смотрит он на нее с ненавистью.

— Костя, впусти меня, пожалуйста, — взмолилась она. — На меня напали.

Она, захлебываясь словами, пыталась объяснить ему, что опасность более чем серьезная.

— Ну так в полицию иди! — не слушая, перебил он.

— Костя?! — Она никак не могла поверить, что близкое спасение отступает и только что пережитый ужас сейчас вернется.

— Иди ты... к черту!

Тамара прекрасно понимала, что он не мог допустить, чтобы она ночевала у него, когда совсем рядом находится Лина. И все-таки почувствовала такую опустошающую растерянность, какой не чувствовала, даже сидя напротив Филина.

Она еще постояла, глядя на захлопнувшееся окно, огляделась, выбралась на улицу по посыпанной песком дорожке и медленно побрела, прижимаясь к заборам.

Второй этаж Лининого дома надстроили, когда Тамара уже редко появлялась у бывшей подруги. Тамара не знала, где теперь хозяйские спальни, и тихо постучала в окно бывшей Лининой комнаты.

— Тома? Что случилось? — Лина распахнула окно почти мгновенно.

— Меня могут убить, — зло сообщила Тамара. Лина была последней, к кому ей хотелось обратиться за помощью.

— Заходи. Быстро. — И опять Тамаре показалось, что дверь подруга отперла ей мгновенно.

Свет Лина догадалась не включать. На кухне зажгла газ под одной из конфорок еще бабушкиной газовой плиты, поставила чайник, из старинного буфета достала бутылку вермута, оставленного родителями, щедро плеснула Тамаре в чашку, потому что доставать рюмки при лунном свете было затруднительно. Подумала, налила и себе тоже в похожую чашку. Эти чашки стояли в кухне, сколько Лина себя помнила, и никто никогда из них ничего не пил. Бабушка периодически перемывала всю посуду и опять аккуратно расставляла ее до следующего мытья.

— Что это? — равнодушно спросила Тамара, взяв в руки чашку. На нее вдруг навалилась тяжелая усталость, стало лень говорить и почти все равно, поймает ее Филин или нет.

— Вермут.

Тамара выпила залпом и попросила:

— Еще налей.

— Рассказывай, Тома. — Лина опять плеснула вина подруге, уселась напротив, отпила вермут и поставила чашку на стол.

Рассказывала Тамара недолго, но выложила все, даже про дядю Шурика. Почти все, потому что про то, что она запланировала женить на себе Сережу, Лине знать не обязательно.

Лина ничего не спрашивала, только иногда еле заметно кивала, но Тамаре вдруг показалось, что теперь ей нечего бояться. Теперь она не одна. Вдвоем они справятся.

Она опять подлила себе вермута, выпила, а когда Лина налила ей чаю, облегченно заплакала.

— Я завтра утром к Николай Иванычу схожу, — сказала Лина.

— Не вздумай! — мгновенно высохли Тамарины слезы. — Не вздумай. Он сто лет не работает, он понятия не имеет, кто там в полиции с бандитами связан. Только хуже сделаешь. Говорить надо только с Сережей, больше ни с кем. Он сообразит, что делать, в конце концов, о его жизни речь идет.

Даже сейчас Тамаре очень хотелось появиться в жизни местного олигарха ангелом-спасителем.

— Тогда нужно тете Клаве позвонить.

— Угу, — кивнула Тамара. — Только не сейчас. Утром. А то перепугаем ее до полусмерти. И ничего ей не рассказывай, только мобильный номер Сережкин спроси, и все.

— Конечно, — согласилась Лина. — Придумать бы еще, зачем он мне так срочно понадобился... Тетя Клава любопытная.

— Да она тебе и так скажет, ничего спрашивать не будет, продиктует номер, и все, вот увидишь. Это от меня она сыночка оберегает. Считает, что я ему не пара.

— Тома, не говори глупости.

— Это не глупости. Ну и черт с ней. Давай ложиться. Я на втором этаже лягу, ладно?

Пережитый ужас напоминал о себе смутным страхом. Тамаре казалось, что до второго этажа Филину добраться будет труднее.

— Конечно. Ложись где хочешь.

Пробираться в темноте на второй этаж было непросто, но включить свет они не рискнули.

Среда, 4 июля

Проснулся Филин мгновенно, как от толчка. Еще не открывая глаз, понял, что в доме он один. Знал за собой такую особенность — ощущать присутствие других людей. Когда-то это его самого удивляло, потом он привык.

Не включая света, прошел в комнату, где легла девчонка, сразу увидел раскрытое окно, на всякий случай посмотрел вниз. Не теряя времени, подхватил сумку и дом покинул, как его недавняя пленница, через окно.

Выбравшись на узкую тропинку между участками, Филин хотел сразу податься к оставленной у гостиницы на импровизированной стоянке машине, но задержался, присел на мягкую траву, не чувствуя опасности. Такая особенность — чувствовать опасность — у него тоже имелась, и он относился к ней с доверием, как к некой божьей данности.

Девчонка что-то ему подмешала, это точно, голова была тяжелой, и соображал он плохо. Потряс головой, прогоняя сонную одурь. Очень хотелось пить.

На девчонку он совсем не злился, умница, что тут скажешь. Она умница, а он дурак.

Плохо то, что она может выйти на Овсянникова раньше его и спутать ему все карты.

Это был прокол. Прокол его, Филина.

Вообще-то девчонка ему нравилась. Красивая очень, а красивых женщин он любил. Ну и умная, конечно, раз его провела, умных он тоже любил.

До сих пор выхода на Овсянникова у нее не было, иначе не звонила бы накануне в пустой дом. Сейчас она срочно начнет искать, как с Сергеем связаться. Тут вариантов немного: мать, мэрия, завод и знакомые. Живет она здесь с детства, значит, будет искать его через знакомых или через мать, если ее знает.

Вообще-то девчонку можно оставить в покое, ничего ей не известно, но он не любил неопределенности.

Где дом матери Овсянникова, Филин знал. Успел присмотреть и наиболее приемлемые для наблюдения за домом места. Впрочем, таких было мало, вернее, всего одно — кусты акации у старухиного забора. Кусты располагались удачно, на ничейной территории, между участками.

К месту засады Филин шел не таясь, купил в попавшемся по пути круглосуточном магазине две литровые бутылки минеральной воды с газом, одну почти сразу выпил, вторую убрал в сумку.

У старухиного дома ничего подозрительного он не заметил. Красавица Тамара не появлялась, и никто не появлялся. В половине седьмого тетка вышла из дома с большой сумкой, заперла дверь, размашисто перекрестилась и куда-то отправилась.

Филин устроился поудобнее и приготовился ждать. Голова почти перестала болеть.

Тамара была уверена, что не заснет, но уснула на узкой кушетке сразу и проснулась, когда вовсю светило солнце.

— Звони Клавдии, — спустившись вниз, бросила она стоявшей у плиты Лине.

— Опоздали. — Лина налила себе кофе из турки в чашку и спросила Тамару: — Будешь?

— Давай. Ты уже звонила?

— Раз десять, начиная с восьми часов. Никто к телефону не подходит. Она уехала. Я совсем забыла, что она к сестре собиралась.

— Ч-черт.

— Тома, нужно сказать Николаю Иванычу. — Лина достала вторую чашку, налила Тамаре кофе. — Он умный и знающий человек. Мы без него не справимся, понимаешь?

— О-ой, отстань ты со своим Николай Иванычем. Ну чем старый пень нам поможет? Чем? Да он в полиции уже и не знает никого. Сообщить надо Сереже. А если не хочешь мне помогать, так и скажи.

Лина промолчала. Громко застрекотала сорока, сидя на ближней яблоне. Яблоня была неказистая, кривая, а яблок давала много почти каждый год.

Тетя Клава утверждала, что сороки приносят несчастье, а бабушка ругала ее за суеверие.

— Яичницу будешь?

Сорока не улетала, словно ждала чего-то.

— Давай.

Лина оторвалась от окна и критически оглядела Тамарину мятую футболку.

— Нужно одежду тебе купить. Сейчас схожу на рынок.

— Спасибо.

— Или попробовать домой к тебе заглянуть? Филина твоего там наверняка уже нет.

— В доме наверняка нет. А за домом он наблюдать может. Нет, тебе светиться нельзя. Лучше правда сходи на рынок.

— Николай Иванович может Сережин телефон знать. — Лина поставила сковородку на плиту и полезла в холодильник за яйцами.

— Может, — кивнула Тамара. — А может и не знать. Дедок он въедливый, все из тебя вытянет. Ну его. Вот на заводе номер точно у кого-нибудь есть.

— Еще бы я кого-нибудь с завода знала. Не могу же я стоять у проходной и телефон директора выспрашивать, — сказала Лина.

— Сергей там не директор.

— Тем более.

— Лин, а ведь это мысль. Нужно попасть к директору, намекнуть, что Овсянникову угрожает опасность, и выспросить его телефон. В крайнем случае, попросить, чтобы он ему сам позвонил.

— Не попаду, — возразила Лина, деля яичницу из четырех яиц пополам и выкладывая ее на тарелки. — Никого с улицы к директору завода не пустят. Лучше действовать через мэрию, или как она тут называется.

— Через мэрию тоже проблематично. Секретарша наверняка телефон не даст, даже если знает. Какого черта ей номер неженатого начальника какой-то бабе сообщать? А к заместителям соваться опасно, они могут быть с вражьей стороной связаны. Спасибо, Лин, вкусно. — Тамара собрала пустые тарелки и поставила в посудомоечную машину. — Давай еще чайку, что ли, попьем.

— Мне нужно варенье сварить, — вспомнила Лина. — Вишня осыпается.

Надо обязательно купить сахар. Поспела не только вишня, созрели смородина, крыжовник.

— Костя, — сообщила Тамара, увидев в окно друга детства, и почему-то усмехнулась.

Костя, пройдя в незапертую дверь, замешкался на пороге, с недоумением глядя на Тамару.

— Привет, — хмыкнул он наконец.

— Приве-ет, — пропела Тамара.

— Здравствуй, Костя, — откликнулась Лина.

— Выйди на минутку, — попросил он Лину, дождался, когда она выйдет на крыльцо, и плотно прикрыл дверь. — Она во что-то вляпалась?

— Да. Откуда ты знаешь?..

— Во что? — требовательно перебил он, напомнив ей прежнего Костю, который не терпел, когда у нее появлялись от него секреты. — В передел собственности?

Лина молчала.

Она молчала, но он пока не разучился понимать ее без слов.

— Лина, — наклонился он к ней. — Тебе нужно немедленно уехать. Немедленно. Давай паспорт, я возьму билеты на ближайший поезд и отвезу тебя в Москву.

— Но...

— Никаких но. Давай паспорт.

— Я никуда не поеду, Костя. — Она подняла на него удивленные глаза. — С какой стати? И как я Тому брошу, по-твоему?

— Тома выкрутится из любой ситуации, можешь мне поверить. Ну... пусть она живет в твоем доме, пока все не утрясется, а тебе надо уехать. Это смертельно опасно, неужели ты не понимаешь? От бандитских разборок нужно держаться подальше.

— Я не поеду.

— Не дури, Лина. Томка выкрутится.

— Я не поеду, Костя, хватит об этом.

— Но почему?

— Потому что не брошу Тамару одну. Потому что Сереже угрожает опасность.

— Господи, какую чушь ты несешь! Нужно идти в полицию, если кому-то опасность угрожает.

— Костя, это все действительно серьезно. Послушай...

— Я не хочу слушать всякий бред, — отрезал он. — Сам не хочу и тебе не советую.

— Ты зачем пришел, Костя? — вздохнула Лина. Он все больше напоминал ей Стаса.

— Купаться хотел тебя позвать, — буркнул он. — Хотя какое уж тут купание...

— Чай будешь пить? — Лина открыла дверь.

— Нет. — Он помялся, но тоже прошел за ней в дом.

— Помоги нам, Костя, — весело улыбнулась Тамара, и было непонятно, что ее так развеселило.

Она успела заварить чай и даже нашла в буфете конфеты.

— Помоги нам, правда. Узнай в мэрии Сережин мобильный. Тебе любая секретарша скажет, не то что нам с Линой.

— Сходи в мэрию, Костя, — вступила Лина. — У тебя получится. Купи коробку конфет и спроси телефончик. Или просто попроси, чтобы секретарша сама Сергею позвонила. А он пусть перезвонит мне.

— Вы что? — опешил он и даже потряс головой. — Спятили? Вы меня подставить хотите, да? Отсюда нужно немедленно уезжать. В конце концов, Тома может у тебя в Москве пожить.

Сейчас он напоминал Стаса так поразительно, что Лина отвернулась.

— Костя, мы можем надеяться, что ты, по крайней мере, никому ничего не скажешь? — сухо спросила она.

— Можете, — буркнул он, потоптался, махнул рукой и вышел.

— Откуда он знает, что ты во что-то вляпалась? — мрачно спросила Лина, глядя на захлопнувшуюся дверь.

— А я к нему приходила ночью, — зло засмеялась Тамара. — Представляешь, я ему говорю, что меня чуть не убили, а он меня не впустил.

Еще недавно Лина не поверила бы, что Костя способен оставить кого-то в беде.

Сейчас она не сомневалась, что он уедет сегодня же. Как любой здравомыслящий человек.

Сегодня Тропинин оказался у мостика через ручей совсем рано. К мосту шел по совсем безлюдным улицам, хотя в городишке народ поднимается рано. Так рано увидеть Полину он не ожидал, уселся на берегу ручья в траву, покурил, посматривая в сторону, откуда она могла появиться.

У ручья летали синие стрекозы, которых Тропинин никогда раньше не видел, где-то рядом стрекотал кузнечик. Он ждал Полину долго и терпеливо, вдыхал пахнувший скошенной травой воздух, а потом неожиданно понял, что она не придет.

Он не обращал внимания на красоты природы, торопливо идя по дорожке к ее дому. Последние сутки он думал о ней постоянно и с нетерпением ждал сегодняшней встречи. Ему было приятно о ней думать, иногда он даже замечал, что улыбается как дурак, хотя обычно на улыбки был скуп.

Он даже мысли не допускал, что может ее не увидеть.

Он не сразу осознал, что из ее калитки вышел парень спортивного вида. Молодой человек, не оглядываясь, направился куда-то, и Тропинин, замедлив шаг, прошел мимо Полининого дома. Ему больше не хотелось ее видеть, ему ничего не хотелось. Парень исчез за одним из заборов.

Кривая улочка вывела Тропинина на крохотную площадь с несколькими магазинчиками, вчера он уже был здесь, после того как проводил Полину. Площадь утопала в зелени и вчера показалась ему трогательно уютной, а сейчас пыльной и мрачной.

Потом он долго блуждал по городским улицам, несколько раз звонил на завод, хотя знал, что хозяина пока нет и никакой новой информации он не получит.

О Полине Тропинин не думал, по крайней мере, старался не думать. Думал о готовом сорваться договоре, о надоевшем вынужденном ожидании, о новых работах, злился и очень хотел домой, в Москву.

На самом деле в Москве ничего интересного его не ожидало. Его ждала захламленная съемная квартирка, к которой он тем не менее очень привык, пельмени в морозилке, старые зачитанные книги, которые он брал у родителей, обещал вернуть и не возвращал, и новая электронная книга — ее он недавно приобрел, но так и не смог к ней привыкнуть. В театры Тропинин не ходил, в кино тем более. Спортом не занимался, а только работал.

Когда он был женат, супруга постоянно пилила его из-за этого. Ей как раз хотелось и в театры, и в кино, а больше всего ходить на встречи с ее бесчисленными друзьями, с выпивкой, неинтересными ему разговорами и танцами. Танцевала бывшая жена действительно здорово, с детства занималась в каких-то студиях, и смотреть на нее было сплошное удовольствие. Она и без танцев выглядела отлично: хорошенькая, веселая, озорная и компанейская.

В первый год их брака он так и смотрел — с удовольствием. А потом сам не заметил, как удовольствие сменилось трудно скрываемым раздражением. Ему абсолютно не о чем было с ней говорить. Она ничего не понимала в его проблемах, зато пугалась, что фирма обанкротится и они умрут с голоду. Он почти сразу перестал ей что-либо рассказывать. Приходил домой и мечтал, чтобы она оказалась у какой-нибудь подружки и он мог бы посидеть в тишине.

О разводе Тропинин никогда не думал, других женщин у него не было, и он очень удивился, когда жена совершенно для него неожиданно решила от него уйти. В тот день он пришел, как обычно, не поздно и не рано, и она, как всегда, чуть не плача, жаловалась, что ей скучно, что она совсем ему не нужна и так жить нельзя. А потом вдруг расплакалась всерьез и стала собирать вещи. Допустить, чтобы она ушла куда-то на ночь глядя, Тропинин не мог, и сам стал собирать вещи, и неожиданно понял, что уйти из этого дома есть самое заветное его желание.

Он видел, что такого жена совсем не ожидала, и ему стало ее жаль, но себя Тропинин жалел больше и ушел.

Развелись они через полгода вполне мирно. Она всплакнула в загсе, и ему тоже стало грустно, но, что назад пути нет, понимали оба.

С тех пор прошло два года. Жена так и жила в их маленькой двухкомнатной квартире, которую они после свадьбы получили с родительской помощью в результате сложных обменов. А Тропинин жилье снимал.

Потом до него дошли слухи, что его бывшая живет со своим разведенным одноклассником, с которым он был шапочно знаком, но слухи эти не вызвали у него не только ревности, но даже простого интереса.

У Тропинина за два холостых года, конечно, были женщины, но ни одну из них он не воспринимал как возможную жену и очень не любил, когда они оставались у него дольше, чем на ночь.

Становилось жарко. Очень захотелось холодной минеральной воды, Тропинин поискал глазами подходящий магазин, с удивлением обнаружив, что опять вышел на маленькую зеленую площадь.

Он поднялся по ступеням ближайшего магазина, сверкающего свежевымытыми окнами, и еще раньше, чем осознал, что перед ним стоит Полина, почувствовал, как сильно застучало сердце от внезапной радости. Она укладывала купленные продукты в хозяйственную сумку из какой-то забавной ткани в цветочек.

Тропинин забыл, что еще недавно очень хотел пить. Сейчас ему хотелось только одного — смотреть на нее.

Он подошел к столику, за которым она паковала свои покупки, собрался поздороваться, а спросил совсем другое:

— Вы замужем?

Тамара, Костя, бандитско-детективная история, в которую она попала, отодвинули нормальную Линину жизнь куда-то в прошлое. И все-таки, идя в магазин, она так хотела увидеть бывшего попутчика Павла Тропинина, что даже несколько раз оборачивалась по дороге, ужасно себя за это ругая.

— Да, — совсем не удивившись, ответила она.

— Я вас провожу, — буркнул Тропинин, взяв ее забавную сумку, оказавшуюся вполне увесистой.

Ему уже не хотелось знать, что она замужем. Ему хотелось забыть, что она замужем.

И он почти не помнил про молодого человека, вышедшего из ее калитки.

— Впрок? — поинтересовался он, перехватывая поудобнее тяжеленную сумку.

— Сахар, — объяснила Лина. — Нужно много варенья сварить. Все ягоды поспели. Спасибо вам.

— Пожалуйста. Вы здесь с бабушкой?

— Нет. Бабушка умерла, давно уже. Я просто так приехала. В отпуск.

— Одна? — Ему не хотелось спрашивать про мужа, но он все-таки не удержался.

— Одна.

Сегодня она была в темных очках, и от этого почему-то казалась ему совершенно беззащитной.

— А вы здесь в командировке? — спросила Лина.

— Да, — подтвердил Тропинин. — Автоматику на заводе устанавливаем.

— На заводе? — Она как-то странно посмотрела на него, словно цель его командировки имела для нее принципиальное значение.

— Ну да, — кивнул он. — А что такого?

— Да нет, — словно так и не решившись в чем-то ему довериться, качнула она головой. — Ничего.

— Я донесу, — видя, что она, открыв калитку, собирается взять у него сумку, буркнул Павел.

Ему очень не хотелось с ней расставаться. А как продлить знакомство, он не знал и от этого терялся.

Он поставил сумку на ступеньку крыльца и усмехнулся:

— Любовника прячете?

— Что? — опешила она, забавно вытаращив глаза. Очки она успела снять, и он опять поразился их необычной синеве.

— Любовника в доме прячете?

— Почему прячу? — улыбнулась она.

— Потому что занавеска дернулась, — объяснил Тропинин. — Кошку вы вряд ли держите, если в доме никто не живет. Или вы кошку успели завести?

— Нет, — покачала головой Лина. — Не успела.

— Значит, любовник?

— Павел, — сказала вдруг Лина, никак не отреагировав на «любовника». — Вы знаете, что главным акционером завода является Сергей Михайлович Овсянников?

— Знаю, — насторожился Тропинин. Он боялся представить, что она каким-то образом связана с темными делами, которые, как он предполагал, творятся на заводе.

— А телефон его вы знаете? Мобильный?

— Нет.

— А узнать можете?

— Зачем? — мрачно поинтересовался он.

— Мне... — замялась она. — Очень нужно. Правда. Я Сережу давно знаю, всю жизнь. Мне нужно ему позвонить. Видите дом? — Она кивнула на еле видный за деревьями соседний участок. — Там его мама живет, и он тоже здесь жил.

— А у матери почему не спросите?

— Она уехала, — вздохнула Лина, и Тропинин неожиданно понял, что она напугана. — К сестре. В деревню.

— Полина...

— Лина.

— Лина, — поправился он. — Ну-ка рассказывайте, что у вас за тайны. Мне не нравится то, что я видел на заводе, и я не хочу, чтобы вы имели к этому отношение.

— Никаких тайн, — уставилась она на него синими глазищами. — С чего вы взяли? Большое спасибо, что помогли.

«Он вполне может быть связан с бандитами. А почему нет? Специально приехал, чтобы подстраховать киллера», — думала она.

— Лина, зачем вам телефон Овсянникова?

— Так. Ерунда. Неважно. — Она изо всех сил старалась казаться спокойной.

— Лина!

— До свидания, Павел. Спасибо.

— Я попробую узнать телефон.

— Не надо. Спасибо. Тетя Клава приедет, Сережина мама, и у нее узнаю.

— Почему купаться сегодня не пошли?

— Купаться? — переспросила она. — Так... Не получилось.

— Может... сейчас сходим? — как дурак предложил Тропинин.

— Не хочется. Спасибо. Дел много.

Больше ему предложить было нечего. Тропинин кивнул и направился к калитке. Он больше не думал о работе, о вынужденном простое и потерянных деньгах. Он думал только о том, что Полина напугана, и главным для него стало понять, в чем дело.

В кустах Филин просидел до девяти утра. Старуха Овсянникова не возвращалась, и к дому ее никто не подходил. Никто ни разу не прошел мимо кустов акации, за которыми он удобно устроился, никто ни разу не показался на тихой кривой тропинке между заборами, только маленькая кривоногая собачонка прошествовала мимо, лениво и равнодушно оглядев Филина.

В девять он достал из сумки старые кожаные перчатки, натянул на руки, перекинул сумку через шаткий забор и перелез сам, оцарапавшись о росшую вдоль забора малину. Тихо ругнулся, недолго посидел в малиннике, внимательно слушая тишину летнего утра, и, стараясь держаться у яблоневых стволов, пробрался к дому. Крыльцо располагалось удачно, удобно скрытое от соседних участков плодовыми деревьями. Простенький замок Филин открыл почти мгновенно, на кухне напился воды из-под крана, оказавшейся удивительно вкусной, подвинул стул и сел у окна, выходящего на ведущую к дому дорожку.

Почему девчонка не побежала к бабке Овсянниковой? Если всю жизнь здесь жила, всех должна знать, и старуху Овсянникову тоже. Однако не побежала и к сыночку в дом пыталась попасть сама, без помощи его матери.

Характер у бабки, насколько Филин успел узнать, суровый. Он еще накануне потолкался с местными алкашами, и про самого Овсянникова наслушался, и про его мамашу.

Вообще-то народ к Сергею Михайловичу относился хорошо, даже строящийся дом ему в вину не ставили, понимали, если человек завод из небытия поднял, имеет право домишко отстроить. Барином Овсянников не сделался, к простым людям относился уважительно, с пониманием, пенсионерам какие-никакие льготы пытался выбить, в городе навел порядок, на улицах обеспечил чистоту. Мужики без издевки называли его хозяином, с настоящим уважением.

Филин попробовал про его баб поспрашивать, но тут никто ничего толком не знал. Была одна, жили как муж с женой, но недолго. Но и с бабами Овсянников ни в чем крамольном замечен не был, девок табунами к себе не возил, в бане со шлюхами не парился.

Впрочем, сейчас его интересовала только одна баба. Тамара.

Узнать, как ее зовут, было проще простого, если имеешь комп и нужные базы данных. Но Филину даже этого делать не пришлось, когда шел за ней от вокзала, услышал, как ее окликнула соседка.

Вариантов было два: либо она попытается связаться с Овсянниковым, причем срочно, либо сбежит из города. Почему-то Филин был уверен, что Тамара останется здесь.

В просвете между яблоневыми ветвями проглядывало крыльцо соседнего дома. Филин был уверен, что дом пустует, и удивился, увидев на крыльце девицу. Девица постояла, поглазела по сторонам, закурила, усевшись на ступеньку, поднялась, исчезла куда-то и опять появилась с пригоршней каких-то ягод, которые сжевала, опять усевшись на крыльцо.

А ведь девица вполне может быть Тамариной подружкой, вполне. Правда, сейчас Тамара у нее вряд ли прячется, девица ведет себя спокойно, на соседский дом не пялится, по сторонам не оглядывается, и Филин утратил к ней интерес.

Через какое-то время к молодой соседке зашел высокий парень, они о чем-то поговорили, стоя на крыльце, и парень отправился восвояси. Парня Филин узнал, видел его, бродя по окрестностям. Здесь же живет, недалеко.

Потом девица, одетая уже по-другому, не в шортики, в которых бродила по собственному двору, а в длинную пеструю юбку, отправилась куда-то, заперев дом. Вернулась с каким-то мужиком, с ним тоже постояла на крыльце, поговорила и исчезла в доме.

Нет, у соседки Тамары не было, он бы почувствовал. Филин поднялся, опять выпил воды и вернулся на наблюдательный пост, думать.

— Что за мужик? — Караулившая у окна Тамара еле дождалась, когда Лина войдет в дом.

— Мы с ним в поезде вместе ехали. — Лина поставила сумку с продуктами на пол, налила из чайника холодной воды в чашку и с удовольствием выпила.

— Симпатичный. Где ты его подцепила?

— Я его не цепляла. — Лина уже забыла, как часто ее раздражала подруга. — Я его встретила в магазине.

— Молодец, — похвалила Тамара. — Не теряешь зря времени.

— Кончай, Том.

— Да ладно, не злись, — засмеялась та и уселась за стол, подперев щеки руками. — Купила?

— Купила. — Лина достала два целлофановых пакета. — Держи.

После долгих раздумий Лина купила подруге почти такую же юбку, как у нее самой — длинную, в мелких цветах на черном фоне, бежевый топик, подходящий по оттенку к цветам, и бежевые шлепанцы на плоской подошве. Совсем не то, что Тамара любила носить.

— Господи, кошмар какой! — ахнула она. — Специально постаралась? Я тебе что, старуха столетняя?

— Перебьешься, — разозлилась Лина. — Как я тебе без примерки что-то другое куплю?

— Сама в таком ходи, — ворчала Тамара, натягивая обновки. Покрутилась перед зеркалом и, как ни странно, осталась довольна и собой и покупками.

— А я и хожу, — засмеялась Лина. — И даже мужики сумки до дома доносят.

— Ну а босоножки с каблуком не могла купить?

— Не могла. Босоножки уж точно мерить надо.

— Ну ладно, — засмеялась наконец Тамара. — Спасибо.

— Обедать хочешь?

— Нет пока. А ты?

— Тоже не хочу. Том, я пойду ягоду собирать. Ты к окнам не подходи на всякий случай.

— Не дурее тебя. Иди. Ты собирай, а я буду варенье варить.

Лина переоделась в купальник, повесила на шею пластмассовое ведерко и задержалась около двери:

— Тома, у него пистолет был?

— Наверное. Не знаю, не видела. У него сумка была, большая. Обычная такая, дорожная. А что?

— Просто думаю. В сумке можно не только пистолет спрятать, винтовку тоже.

— Ну и что? Какая нам разница?

— Пока не знаю. Просто... Чтобы из пистолета выстрелить, надо к человеку близко подойти, а из винтовки можно и в окно стрельнуть.

— Не знаю, Лин. Может, и есть у него винтовка.

— А одет он во что?

— Джинсы, футболка. Одет как все. Футболка светлая, с какими-то надписями на груди.

— А на ногах?

— Шлепанцы. Вроде пляжных, спереди на липучке.

— В поезде он не мог в таком виде ехать. В шлепанцах.

— Ну конечно! Сейчас на работу в шлепанцах ходят, не то что по поезду.

— Я думаю, он приехал на машине. У него должна быть запасная одежда, не в шлепанцах же он на дело пойдет.

— Не знаю. Когда я его первый раз увидела, он шел с толпой с московского поезда. Если он приехал на тачке, что он тогда на вокзале делал?

— Черт его знает. По-моему, машина у него должна быть. Что же он, выстрелит, а потом пойдет тачку ловить? И ночевать ему где-то нужно, он же не знал, что тебя встретит.

— Может, у него тут сообщник? — предположила Тамара.

— Может, — согласилась Лина. — Только вроде бы киллеры работают всегда в одиночку.

— Ну, а если и есть у него машина, как мы ее найдем?

— Не знаю. Ладно, я пошла в сад. Не подходи к окнам, — еще раз предупредила Лина.

Тамара, осторожно отодвинув занавеску, посмотрела, как подруга тащит с крыльца стремянку, и внезапно похолодела от страха, представив, что Лины могло не оказаться в городе.

Тропинин свернул с улицы, на которой стоял Полинин дом, едва завидев узкую тропинку между заборами прилегающих друг к другу участков. Расстояние между участками было таким маленьким, что местами вдвоем по тропинке, пожалуй, не разойтись. Почти заросшая травой тропа непонятно для какой надобности огибала несколько участков. В одном месте Тропинин задержался, отсюда Полинин дом был неплохо виден, несмотря на густую зелень небольшого сада. И в другом месте задержался, отсюда открывался вид на соседний дом, матери Овсянникова. Тропинин раздвинул руками ветви акации, покрутил головой и зачем-то полез в кусты. Крыльцо дома было прямо перед ним. Если бы кому-то понадобилось наблюдать за домом, лучше места не найти, пришла в голову нелепая мысль.

Надо было уходить, но он медлил. То ли трава под ногами казалась примятой, то ли еще что, но он почти не удивился, заметив по ту сторону забора вмятину среди стелющейся травы. Вмятину могла оставить собака, когда-то в детстве у него был пес, беспородный, его мама подобрала щенком в жуткий мороз. Собака любила спать на грядках, даже не спать, а просто валяться назло хозяевам, прекрасно зная, что это совершенно недопустимо, и потом весело убегала от справедливого наказания.

А еще вмятину вполне могло оставить что-то перекинутое через забор. Сумка, например. Или человек, ненадолго присевший в траву. Вряд ли хозяйке могло прийти в голову сидеть под собственным забором.

Тропинин вылез из кустов, вернулся к тому месту, откуда был видел Полинин участок, уселся в траву и достал мобильный.

Номер сотового телефона Овсянникова Тропинин получил за две минуты. Позвонил несчастному, всего боящемуся директору, тот слабо поупирался, но номер продиктовал.

Становилось жарко, над раскаленной землей дрожал воздух. Где-то рядом стрекотал невидимый кузнечик, хрипло жужжал толстый шмель около бледно-розового вьюнка.

Появилась Лина, очень стройная в темном купальнике. Она тащила перед собой стремянку, исчезла за деревьями, снова появилась, уже без стремянки, зато с маленьким ведром в руках, и направилась к дому. Опять появилась и опять исчезла. Тропинин наблюдал за ней долго, огорчаясь, когда ее не видел.

Изредка откуда-то доносились еле слышные голоса, лениво потявкала собака. Тропинин любил лето и всегда жалел, что оно такое короткое. Нужно осенью съездить куда-нибудь в Африку, решил он и неожиданно понял, что отдыхать хочет только с этой совсем незнакомой девушкой и больше ни с кем. Ему хотелось смотреть, как она выходит из моря, или идет по городу, или делает что-нибудь другое, неважно что. Хотелось понять, почему у нее такие грустные глаза, а еще больше хотелось, чтобы эти глаза зажигались радостью, когда она будет смотреть на него, Тропинина.

А ведь в магазине она ему обрадовалась, понял вдруг он. Точно обрадовалась, когда он полез к ней со своей помощью.

Или просто потому, что он поможет ей дотащить тяжеленную сумку?

Теперь Лина исчезла в доме надолго, набрала ягод и будет что-то с ними делать.

Тропинин встал, отряхнул джинсы, осмотрел себя, насколько смог, почистил ладонью колени и, обойдя по тропинке деревянные заборы, опять подошел к знакомой калитке.

Дверь в дом была открыта настежь. Тропинин потоптался на крыльце и позвал:

— Лина!

Она выбежала через секунду. Теперь помимо черного купальника на ней была надета длинная цыганская юбка, в которой она ходила купаться.

И опять ему показалось, что она обрадовалась, увидев его.

— Я хочу пригласить вас в ресторан. То есть не обязательно в ресторан, — запутался он. — Куда хотите. На свидание.

— Хотите пригласить или приглашаете? — уточнила она.

— Приглашаю. Уже пригласил.

Он вдруг испугался, что она сейчас ему откажет, и даже почувствовал, как тоскливо становится ему в этом захолустном городишке. Она ему откажет, а он даже не сможет уехать, потому что придется дожидаться приезда хозяина завода. Вот досада-то...

Впрочем, он не может уехать не только поэтому, ему необходимо понять, чем она была так встревожена утром.

— Спасибо, Павел, — переступила она босыми ногами и засмеялась. — Я принимаю ваше приглашение. Меня сто лет никто не приглашал на свидания.

Не радуйся, предостерег себя Тропинин. Не радуйся, она замужем.

Он не мог не радоваться.

— Подождите меня, пожалуйста. Я сейчас.

Тропинин уселся на крыльцо. Сквозь деревья едва просматривался соседский дом.

Нужно обязательно узнать, зачем ей так срочно понадобился телефон хозяина завода. И кого она скрывала в своем доме. Нет, не скрывала — скрывает. Иначе пригласила бы его зайти в дом.

К середине дня Филин почувствовал, что проголодался. Опять натянул на руки перчатки, сброшенные по причине невыносимой жарищи в запертом доме, и заглянул в бабкин холодильник. Пооткрывал нарядные, все в цветочках, контейнеры, плотными рядами занимавшие полки, в одном обнаружил круглой формы котлеты, попробовал — вкусно, молодец старушка, отлично готовит. Котлет в большом контейнере было много, Филин съел три и опять вернулся к окну. Рискнул, слегка приоткрыл одну створку, совсем дышать нечем.

Соседка крутилась в саду, Филин смотрел на нее с удовольствием, как на картинку. Лица на таком расстоянии не рассмотреть, но Филин не сомневался — красивая.

Вот ведь интересно, уж какая Тамара красивая девка, а Филин не сомневался, встретились бы они при других обстоятельствах, вполне мог бы рассчитывать на ответную любовь. А с той, в саду — вряд ли. Он и сам не понимал, откуда взялось у него такое знание, просто чувствовал.

Впрочем, это его не раздражало. Он соседке навязываться не собирался.

Она все мелькала в саду, внося разнообразие в его скучное сидение у окна, потом исчезла надолго, потом вообще ушла куда-то с высоким плотным мужиком.

Когда-то давно Филин таким мужикам завидовал, сам рос невысоким, щуплым. А потом завидовать перестал. Когда понял, что почти любого такого атлета может уложить в буквальном смысле одной левой. К тому времени Филин уже отлично владел несколькими видами единоборств.

По-хорошему, в отсутствие соседки нужно было бы проверить ее дом, на всякий случай, но Филин не рискнул, она могла вернуться в любой момент. Проверить ее дом он еще успеет.

— Пойдемте купаться, Павел, — предложила Лина, появляясь все в той же юбке, только теперь еще в босоножках и светлой маечке. — Если вы не передумали.

— Я не передумал, — заверил Тропинин. Ему хотелось сказать, что в такую жару только и остается, что сидеть на реке, а без нее там ему неинтересно, но сказал совсем другое, лишнее: — А где ваш муж?

— В Штатах. — Лина направилась к реке, стараясь держаться на теневой стороне улицы.

— ПМЖ?

— Нет, — удивилась она. — В командировке.

Он же знал, что про мужа нельзя спрашивать. Зачем спросил? Нужно забыть, что у нее есть муж, и радоваться тому, как хорошо идти с ней под зелеными тополями, а он только себя растравляет.

— Вы здесь надолго?

— У меня отпуск две недели. За прошлый год, — зачем-то добавила она. Зачем добавила? Какая ему разница, какой у нее отпуск.

— А работаете вы где? — Они подошли к ручью, и Тропинин подал ей руку, переводя через шаткий мостик.

— Спасибо, — вежливо поблагодарила она. — В иностранной компании.

— Переводчик?

— Инженер.

— Кто?

— Инженер, — повторила Лина. — А что такого?

— Да так, — почему-то покачал головой Тропинин. — Нравится?

— Нормально. — Она пожала плечами и поправилась: — Нравится. Я раньше в другом месте работала. В научном институте. Там намного хуже было.

И этого говорить не стоило. Какое ему дело, где она раньше работала.

— Платили мало?

— Нет. Не только это. Платили меньше, чем теперь, конечно, но нормально. Доплачивали через частную фирму. Просто... Там противно очень было. Приближенные к начальству считались людьми первого сорта, а все остальные —

второго. Работали одни люди, а деньги получали другие. Подхалимства много, сплетен.

Почему вдруг она стала рассказывать все это совершенно постороннему человеку? Зачем?

Когда она пыталась рассказать об этом Стасу, он всегда отвечал, что она просто не умеет ладить с людьми. Это было несправедливо и очень обидно, и она перестала говорить с ним о своих служебных неурядицах, а больше ей обсуждать их было не с кем.

Сейчас ей казалось, что совсем незнакомый Павел ее понимает, как когда-то понимал Костя.

То, о чем она рассказывала, Тропинин представлял себе хорошо. Он такие конторы знал и всегда удивлялся, как руководство их не понимает, что любой специалист — это товар штучный и относиться к нему надо соответственно. Впрочем, когда через институт проходят государственные деньги и результаты работы никому, в общем-то, не нужны, не нужны и специалисты. Достаточно секретарш с интеллектом куклы Барби.

Неожиданно Тропинин вспомнил то, о чем никогда не вспоминал за ненадобностью. Бывшая жена любила приезжать в его офис. К нему в кабинет, правда, никогда не врывалась, терпеливо ждала, когда он освободится, пила кофе с Катей, которая была не столько секретаршей, сколько правой рукой Тропинина. Катя следила за почтой, отвечала на телефонные звонки, переназначала его, Тропинина, встречи, заказывала билеты командированным и держала в голове всю работу фирмы получше компьютера. Тропинина здорово раздражало, что жена отрывает Катю от дела, но он молчал. Знал, если сказать супруге, что ей нечего делать в его офисе, она начнет плакать, переживать, и он будет чувствовать себя виноватым.

Однажды, незадолго до развода, он, выйдя из кабинета, с удивлением обнаружил на Катином месте жену. Секретарша за булочками побежала, объяснила бывшая. Ну, побежала и побежала, не обеспокоился тогда Тропинин, занялся делами и только сейчас неожиданно вспомнил этот эпизод. Уставшая, задерганная Катя бегала за булочками для его неработающей жены, поскольку сама зачем-то постоянно худела и мучного избегала. Он не защитил тогда Катю от хамства и барства собственной супруги.

Надо купить Кате какой-нибудь сувенирчик, малодушно подумал Тропинин, и от этой мысли ему почему-то сделалось спокойно.

Впрочем, он тут же забыл о Кате, сейчас он мог думать только об идущей рядом очень красивой женщине. Почему-то в поезде он не разглядел, что она потрясающе красива. А может быть, тогда она просто была ему не нужна и поэтому неинтересна.

Что-то изменилось за эти несколько дней настолько, что все прежние его интересы сменились одним — Линой с синими глазами. Еще несколько дней назад он бы не поверил, что такое может с ним случиться.

Она замужем, напомнил себе Тропинин. Она совершенно чужая женщина. Он ничего о ней не знает.

Ему хотелось смотреть на нее не отрываясь.

Их обычное место оказалось занятым, там плескалась какая-то ребятня под присмотром очень полной женщины, ласково им улыбнувшейся. Лина улыбнулась в ответ, а Тропинин нет, и они пошли вдоль реки по течению.

— Вы сюда часто приезжаете?

— Восемь лет не была. Раньше очень часто приезжала. В детстве. Студенткой тоже.

Разговаривать с практически незнакомым Павлом Лине почему-то было легко. Она вообще-то не слишком разговорчива, с людьми сходится не сразу, незнакомых собеседников не слишком любит, а с ним чувствовала себя абсолютно свободно.

Отлично она себя чувствовала, замечая, как... неотрывно он на нее смотрит.

— А потом что же? Разонравилось?

— Потом бабушка умерла, не к кому стало приезжать. И вообще... — Она слегка нахмурилась. Ему очень хотелось узнать, что же такое случилось «вообще», но он не спросил.

Входить в прохладную воду по покатому песчаному берегу было приятно, приятно плыть в мгновенно ставшей теплой воде, приятно наблюдать за плывущей Линой. Весело сверкали капли воды на влажной коже, но Тропинину почему-то стало тревожно. Может быть, потому, что он помнил — она замужем, хотя старался это забыть. Он уже понимал, что без нее прекрасный солнечный день перестанет казаться ему прекрасным и солнечным, и решил ни за что ее не отпускать.

К ее дому они возвратились вечером. Молодого человека, из-за которого утром он так разозлился, Тропинин увидел первым и опять разозлился, но по-другому, просто как на досадную помеху. Теперь он знал, что никто не заставит его не прийти сюда завтра.

— Лина. — Костя шагнул к ней, поднявшись с крыльца. На мужика рядом он старался не смотреть. — Можно тебя на минутку?

— Что, Костя? — Она отошла за ним по узкой садовой тропинке.

— Лина, отсюда нужно уезжать. Немедленно. Давай уедем, я прошу тебя.

— Я никуда не поеду.

— Да не переживай ты за Томку. Она из любого болота вылезет, будь спокойна. А мы... У нас могут быть большие проблемы, понимаешь?

— Костя, перестань. Не преувеличивай. Никаких проблем у меня не будет, и Тому я на улицу не выгоню. — Этого говорить не стоило, это прозвучало как намек на его поведение прошлой ночью, и Лина пожалела о сказанном.

— Ты просто не понимаешь, поэтому поверь мне. — Он не заметил никакого намека, сейчас он был очень похож на прежнего Костю, решительного и все знающего. — Собирай вещи, я зайду за тобой через час.

— Я не поеду, — покачала головой Лина. — И хватит об этом.

— Почему? — Он слегка наклонился к ней, прищурив глаза и неожиданно перестав быть похожим на себя прежнего, зато очень напомнил Стаса. — Ты нашла мне замену?

— Ты что, Кость? С ума сошел? — опешила Лина. — Какая может быть замена, я восемь лет тебя не видела.

— Ты что-то хочешь мне доказать? Считай, что доказала. Я все понял, а теперь иди и собирай вещи.

— Костя, это глупо звучит, но я благодарна тебе за заботу. Правда. Но... я давно живу своей жизнью и дальше буду поступать так, как считаю нужным. И что бы я ни делала, это не имеет к тебе никакого отношения. Просто потому, что теперь мы другие, мы стали чужими людьми, у которых когда-то была общая юность.

— Ты все врешь, — не поверил он. — И себе, и мне. И мужик этот тебе не нужен, тебе необходим я. А мне нужна ты.

— Костя, я сама не знаю, кто мне нужен, — призналась Лина. — Но одно знаю точно, у нас с тобой никогда ничего не будет.

— Почему? — Он опять прищурил глаза, но больше не напоминал Стаса, он походил на большого обиженного ребенка, которого хотелось погладить по головке.

— Потому что я вылечилась от любви к тебе, — устало сказала Лина. — Вылечилась, и теперь у меня на тебя иммунитет. И, пожалуйста, давай больше не выяснять отношения, я этого терпеть не могу.

— Ты хочешь, чтобы я уехал один?

— Да.

Лина смотрела ему вслед и отчаянно жалела и его и себя и понимала, что приняла единственно правильное решение. Настроение, такое легкое после «свидания» с Павлом, было безвозвратно испорчено, ей совсем не хотелось сейчас видеть Тропинина, но он терпеливо сидел на крыльце, и деваться ей было некуда.

— Павел. — Лина подошла к нему и вдруг брякнула то, от чего тут же чуть не провалилась сквозь землю: — А вы женаты?

— Разведен, — не удивившись, доложил он и зачем-то пояснил: — Официально.

— А неофициально?

Господи, что она несет?!

Ей почему-то необходимо было сию минуту узнать, существует ли женщина, которой будет очень неприятно узнать, как он развлекается от скуки в очередной командировке.

— А неофициально тем более. Лина... — Тропинин поднялся с низкой ступеньки и посмотрел на нее с высоты своего немалого роста. Ветерок шевелил ее волосы, она сколола их перед тем, как идти в воду, а потом забыла или не захотела распустить снова, и ему очень хотелось зарыться в них лицом. — Кто такая Тома, что за неприятности вам грозят, и почему вы интересовались телефоном Сергея Овсянникова? Кстати, я узнал его номер.

Она хотела что-то сказать, вздохнула и промолчала, и тогда он объявил:

— Я никуда отсюда не уйду, пока все не выясню.

— Да... — Она замялась. — Нечего выяснять. Это все ерунда. И вообще нехорошо слушать чужие разговоры.

— Нехорошо, но я услышал. Я не уйду, Лина, — чуть наклонился он к ней. Теперь ее волосы щекотали ему лицо, и ему хотелось стоять так бесконечно долго. — Я не уйду, и тебе придется мне все рассказать.

Он даже не заметил, что перешел на «ты», и она не заметила.

— Это мои проблемы, Павел, — сопротивлялась Лина, ей вдруг стало страшно, что он тоже захочет сбежать куда подальше, как Костя.

— Знаешь что? — Он все-таки провел носом по ее волосам. — Теперь все твои проблемы будут моими.

— Почему? — чуть отодвинувшись, подняла она к нему лицо. — С какой стати?

— С такой, — не стал объяснять он.

Он не решился объяснить ей, что никогда и ни с какой женщиной ему так отчаянно не хотелось быть рядом, как с ней. Она бы ему не поверила. Он сам себе не верил еще вчера.

— Приглашай меня в дом, — кивнул он на дверь. — А если еще что-нибудь поесть найдется, совсем будет здорово. Я с утра ничего не ел.

Лина, засмеявшись, провела его в дом. Чего-то подобного он ожидал. В зашторенной кухне статная, чуть полная брюнетка поднялась из-за стола, уставленного банками с вареньем.

— О-ой. Здра-асте, — пропела она, внимательно его рассматривая, и представилась: — Тама-ара.

— Здрасте. Павел, — вежливо поклонился Тропинин, вспомнив вдруг, как его учили кланяться в Японии во время очередной командировки.

Кланяться нужно, изображая «пять минут седьмого» на часах, если представить ноги в виде часовой стрелки, а туловище в виде минутной. Тропинин так и не научился этому и кивал по-европейски головой.

Черноглазая Тамара настолько не походила на утонченную Лину, что Тропинин опешил. Пожалуй, он был вполне согласен с долетевшими до него словами Кости, что Томка из чего угодно выпутается. Девушка перед ним стояла такая, что он никому бы не посоветовал становиться на ее пути.

— Ну вот, — засмеялась Тамара, посматривая на него игриво, и ему стало за нее неловко. — Хозяйка гуляет, а я тут работаю, света белого не вижу.

— Ой, Томочка, — ахнула Лина, принимаясь перетаскивать наполненные вареньем банки со стола в угол кухни. — Спасибо. Господи, это сколько же банок получилось! Когда мы все это съедим?

— Съедите, — отмахнулась Тамара. — В Москву возьмешь. А вас, Павел, какими судьбами занесло в наш несчастный городишко?

— Вот что, уважаемые дамы, — решил Тропинин. — Про мою судьбу мы потом поговорим, а сейчас расскажите-ка мне, что у вас тут за тайны такие.

— Какие еще тайны? — сузила глаза Тамара. — Линка! Ты что ему наговорила?

— Ничего она мне не говорила. — Тропинин уселся за стол, подумал и взял в руки заварной чайник. Чайник был очень старый и красивый, Тропинин повертел его и поставил опять на стол. Когда-то у его бабушки был такой же или очень похожий. Маленький Павлуша его случайно разбил и долго плакал, а бабушка его успокаивала. — Сам вижу. От кого вы так плохо прячетесь?

— Почему прячусь? — вяло возмутилась Тамара. Закусила губу и уселась напротив Тропинина.

— Почему плохо? — удивилась Лина, оторвавшись наконец от банок с вареньем.

— Потому что я сразу понял, что у вас тут... черт знает что. А я спецподготовку не проходил и шпионским делом никогда не занимался, — объяснил Тропинин. — Так что рассказывайте мне все с самого начала и по порядку.

— Что вы здесь делаете? — в упор уставилась на него Тамара. Она как-то сразу изменилась и вместо разбитной веселой девицы стала похожа на суровую и справедливую женщину-судью, которую Тропинин видел иногда, включая телевизор. Она судила каких-то бедолаг, которые попадали в самые немыслимые ситуации, и была строга и милосердна одновременно. — Что вы делаете в городе?

— В командировку приехал, — стараясь не ежиться под ее взглядом, доложил Тропинин. — Моя фирма ставит охранную сигнализацию на заводе. Договор мы заключили давно, месяца два назад, и тогда ничего подозрительного мне и в голову не приходило. Завод как завод, на полную мощность не работает, но и не разваливается. А вот теперь, уважаемые дамы, ситуация другая, и даже мне, человеку постороннему, ясно, что назревают события, от которых даже здоровым мужикам нужно держаться подальше, а не только хрупким девушкам. Так от кого вы прячетесь и зачем вам понадобился телефон Овсянникова?

Они молчали, Тропинин терпеливо ждал. Лина резала колбасу, овощи в салат, ставила на стол тарелки. Бабушка часто говорила, что разговаривать нужно только с сытыми мужчинами. Тамара задумалась, глядя в сторону.

— Покажите документы, — решилась наконец она.

Тропинин вздохнул и полез в карман за бумажником:

— Паспорт? Права?

— Все давайте. — Тамара выдернула у него бумажник и хмуро перелистала документы.

— Павел. — Лина наконец поставила на стол последнюю тарелку и села сама. — Угощайтесь, пожалуйста.

Тропинин щедро положил себе закусок и с удовольствием принялся жевать. Женщины тоже наполнили тарелки и нехотя ковыряли в еде вилками.

— Нам случайно стало известно, — начала Лина, — что за Сергеем, а мы его сто лет знаем, охотится киллер.

— Что? — оторопел Тропинин. — Как это случайно стало известно? Он что, подошел к вам и представился: я киллер?

Тамара вздохнула, отложила вилку и стала рассказывать, она вдруг отчетливо поняла, что, кроме этого чужого мужика, помочь им некому. Она поведала и про Ивана, и про встречу с Филином у ресторана, и про то, как сбежала от него. Она рассказала даже про дядю Шурика, чувствуя, что на мужика этого можно положиться, и вместе с тем холодея от страха, что совершает большую ошибку. Впрочем, страх она старалась отогнать.

Везет Линке, у нее, Тамары, сроду не было мужиков, на которых хотелось бы положиться.

— Значит, тети Клавы сейчас дома нет? — Тропинин положил вилку, отодвинув тарелку — наелся — и вежливо кивнув: спасибо.

— Нет, — подтвердила Лина. — Я ей все утро звонила. И окна закрыты. Когда она дома, окна настежь открыты, жарко же.

— А родственников у нее нет, которые могли бы сейчас в доме находиться? Знакомых?

— Нет, — твердо сказала Лина. — Тетя Клава, кроме бабушки, никому ключей не давала. А что?

— А то, — вздохнул Тропинин, — что в доме у вашей соседки кто-то есть. Я видел, как шевелилась занавеска в окне, когда ждал тебя на крыльце. Солнце светило как раз в стекло, и я заметил.

— А ты не мог ошибиться?

— Мог. Но боюсь, что не ошибся. Давайте исходить из самого неприятного, из того, что в соседнем доме действительно засел киллер. — Они боялись, и Тропинину было их жалко, но подстраховаться необходимо. — Вряд ли он тебя выследил, Тома. Скорее всего поджидает вашу тетю Клаву. Так в полицию вы категорически идти отказываетесь?

Лина поднялась из-за стола, включила чайник, начала собирать грязные тарелки. Может, действительно уехать? Выбраться потихоньку из дома вместе с Томой, сесть в поезд и отсидеться в Москве?

Ей совсем не хотелось уезжать, ей хотелось быть с совсем чужим и незнакомым Павлом, и она злилась на себя за это. С ним спокойно и совсем не страшно, но... из этого вряд ли получится что-то стоящее. То, что она ему не безразлична, Лина понимала, но случайные знакомства редко перетекают в настоящие отношения. К тому же пока она замужняя женщина, и об этом тоже не стоит забывать. Мысли тут же перекинулись на Стаса, на то, что жить с ним она больше не может и не станет, что своим желанием развестись она очень его оскорбила и причинила ему боль, но никакого другого выхода из этой ситуации не существует. Дальше жить вместе — это только друг друга мучить.

— Категорически, — буркнула Тамара. — Ни за что не поверю, что у рейдеров там нет сообщников.

— Тогда так, — вздохнул Тропинин. — Сейчас придумаем, как вас на время в гостиницу переправить, в мой номер.

— Зачем? — не поняла Лина. — Ты думаешь, он сюда полезет? Откуда он мог узнать, что Тома здесь?

— Береженого бог бережет. Нужно выбраться с другой стороны дома. Отсидитесь в гостинице, а там видно будет.

— Нет. — Лине совершенно не хотелось уходить из собственного дома. — Мне-то уж это совсем ни к чему. Том, а тебе...

— Мне тоже ни к чему, — отмахнулась Тамара. — Что я буду в гостинице-то делать? Здесь останусь.

Тропинин нудно и безрезультатно их уговаривал, пока наконец не сдался.

— Дверь запереть. К окнам не подходить, даже к занавешенным. Телевизор не включать, чтобы слышать любой шум. А теперь звоните Овсянникову.

Он достал из кармана мобильный и продиктовал номер телефона, который записал сразу после разговора с директором, не полагаясь на собственную память. Зря не полагался, номер он запомнил и теперь не к месту порадовался не подведшей его памяти.

Звонить принялась Тамара, радуясь, что не забыла дома с перепугу собственный мобильный. Набирала и набирала заветный номер и каждый раз слышала, что абонент недоступен.

Ночь выдалась лунная и очень тихая. Тропинин, выбравшись из окна с противоположной участку соседки стороны, устроился в саду в высоких кустах с комфортом: и Линин дом хорошо виден, и соседский, и трава под кустами мягкая, как ковер. Сначала он следил за соседкиным домом с таким напряжением, что приходилось тереть пальцами глаза, потом начал отвлекаться, думал о Лине, говорил себе, что ничего путного из его внезапной и глупой влюбленности не выйдет, хотя бы потому, что она замужем, и чувствовал, как тоскливо становится от этой мысли. Потом пугался, что пропустил киллера, не заметил, и принимался вновь напряженно следить. Затем вновь думал о Лине, она казалась ему умной, нежной и беззащитной. Слабой. Впрочем, слабой ее не назовешь, не побоялась прятать подругу почти на глазах у киллера. Он даже не знал, что еще бывают умные и нежные женщины, считал, что все давно перевелись, остались только такие, как его бывшая или вот подруга Тамара, хваткие, самоуверенные и в общем-то очень примитивные особи.

Как приоткрылась дверь, Тропинин не заметил, увидел только неясный силуэт между деревьями в саду соседки. Человек двигался к забору, к тому самому месту, где утром Тропинин обнаружил смятую траву. Потом Павел долго удивлялся, как ему удалось незаметно проследить за человеком, все-таки ни воином, ни охотником он не являлся и до тех пор бесшумно ступать ни разу не пробовал.

Лезть через забор Тропинину не пришлось, он загодя отодрал две доски в заборе и у узкой тропинки оказался почти одновременно с неизвестным. Дождался, когда тот скроется за поворотом забора, и припустил следом. По освещенным улицам человек шел не таясь, несколько раз обернулся, но Тропинин держался в тени деревьев и вовремя реагировал, замирал. В общем-то, следить оказалось не так уж трудно. На стоянке у гостиницы киллер залез в припаркованную здесь «Тойоту», снова вылез, сходил в круглосуточный супермаркет, опять залез в машину и наконец уехал, негромко прошумев мотором.

Тропинин, скрючившийся за какими-то кустами, так и не понял, то ли киллер такой никудышный, то ли он, Паша, такой молодец.

В номер он поднялся, выждав минут двадцать. Еще днем, готовясь к ночной слежке, купил в супермаркете самый дорогой фотоаппарат, тот себя оправдал, киллер на освещенной стоянке получился отчетливо. Тропинин включил ноутбук и как следует рассмотрел кадры на экране компьютера. Изображение оставалось четким даже при очень сильном увеличении.

Тропинин скинул пропотевшую за день одежду, принял душ, переоделся. У самого Лининого крыльца позвонил ей на мобильный и попросил:

— Открой мне. Свет не включай.

Сунул телефон в карман и испугался, что разговаривал грубо и она может обидеться.

Труднее всего оказалось не подходить к окнам, особенно когда ушел Павел. Так и подмывало отдернуть занавеску и вглядеться в окна тети-Клавиного дома. Лина не подходила, выполняла его приказ.

Помахав Павлу, спустившемуся из окна на росшую вокруг дома траву, подруги замучились от тоскливого ожидания. Уходя, он еще раз четко их проинструктировал: свет зажигать только в одной комнате, Тамаре передвигаться на корточках, чтобы на занавесках не оказались видны два женских силуэта, окна не открывать, несмотря на духоту, прислушиваться к любым шорохам. Еще он опять пробовал уговорить их переместиться в гостиницу, но они отказались.

Делать было решительно нечего, и от скуки они принялись пить чай, удивляясь, что не лопнули от количества выпитого. Тамара сидела на низкой табуретке, на которой у бабушки когда-то стоял горшок с огромным аспарагусом, а Лина передвигалась в полный рост. Если киллер за ними наблюдает, решит, что в комнате один человек.

Черт знает что.

— Лин, а твой муж, он что, тебе не звонит? — Тамара пересела на пол, прислонившись к ножке кухонного стола, потянулась и устроилась поудобнее.

— Звонит, конечно.

— А что же за весь день не позвонил?

— Когда у нас день, у них ночь. Он звонил мне накануне.

— Часто он уезжает?

— Часто.

— Не боишься, что отобьют? Понравится он какой-нибудь американке, и все...

— Не боюсь.

— Почему?

— Потому. — Разговаривать с Тамарой Лине всегда было трудно. Даже странно, что они не перестали общаться давно, еще до Кости.

— Да ладно, не злись. А этот Павел, он тебе для чего?

— Ни для чего, — опешила Лина.

— Слушай, если он тебе не нужен, отдай его мне, — засмеялась Тамара и облизнулась, мгновенно став похожей на сиамскую кошку Мусю. Мусю маленькая Лина подобрала когда-то в страшный мороз, и потом кошка долго жила у родителей, когда Лина переехала к Стасу.

— Я пойду лягу, Том. — Лине стало противно о чем-то разговаривать с ней. — Почитаю с ноутбука в темноте, а ты включи себе свет, если хочешь.

— Не хочу, — потянулась Тамара и опять стала похожей на кошку Мусю. — Я спать буду. Спокойной ночи.

— Спокойной ночи.

Ноутбук Лина включила, но читать не получалось, не удавалось сосредоточиться на тексте. Какое уж тут чтение. Очень хотелось позвонить Павлу. Она знала, что нельзя, но желание было нестерпимым.

И тревога за Павла тоже была нестерпимой.

Сейчас ей казалось, что ближе Тропинина у нее никого нет. Господи, какая глупость, они знакомы всего ничего.

Когда раздался звонок и Лина схватила лежавший на прикроватной тумбочке телефон, она даже не сразу узнала голос собственного мужа.

— Лина. — Она слышала не только голос Стаса, но и его дыхание, и сразу почувствовала себя виноватой и за то, что ждала совсем другого звонка, и за то, что Стас никогда не был с ней счастлив. — Я прошу тебя, приезжай. Я прошу. Давай попробуем все сначала, мы просто оба устали, мы давно не были вместе. Мы же любим друг друга, и ты прекрасно это знаешь. Приезжай, Лин.

— Я не могу, Стас. — Она поудобнее поправила подушку и перехватила телефон другой рукой. — Я правда не могу. У моей подруги неприятности. Тут такой ужас. Ты не поверишь, ее чуть не убили...

— Тебе подруга дороже меня? — деловито осведомился он.

— Господи, Стас. Ну конечно, нет. Послушай...

— Я не хочу ничего слушать! Я перед тобой унижаюсь, а ты... Ты...

Голос в трубке задрожал, завибрировал. Лина знала, что дальше говорить бесполезно, и вся сжалась, оцепенела. Она всегда сжималась, когда Стас переходил на крик, и потом долго не могла прийти в себя.

— Ты специально надо мной издеваешься...

Нужно разводиться. Немедленно. Давно надо было развестись, а еще лучше — совсем не выходить замуж.

— Стерва!..

Лина опять перехватила телефон, потому что рука, которой она вытирала слезы, намокла.

Стас еще долго говорил ей обидные и несправедливые — или справедливые? — слова, и она молча вытирала слезы. Потом в трубке щелкнуло, но она все сжимала ее, и терла ею лицо, и не могла понять, что с телефоном делать, когда он зазвонил снова.

— Открой мне. Свет не включай, — произнес Павел.

Лина вскочила, не заметив, что слезы сразу высохли, натыкаясь в темноте на стены, бросилась к входной двери, распахнула настежь. Еще до того, как он шагнул в дом, она уже забыла про Стаса, про обидные слова и спящую в доме Тому.

Она поняла вдруг, что с ним, таким большим и немного неуклюжим, впервые за много лет почувствовала себя абсолютно спокойно, как в детстве с родителями и потом, в юности, с Костей. Еще вчера это почувствовала, когда он пошел ее провожать.

Лина распахнула дверь и замерла в проеме. Ей очень хотелось, чтобы он обнял ее и у нее началась бы совсем другая жизнь, без обид и предательств. И она поверила бы, что он никогда не скажет ей оскорбительных и злых слов, как Стас, и никогда не поменяет ее на Тому, как Костя.

Она знала, что ему очень хотелось ее обнять, когда они сидели днем на берегу быстрой коварной речки. И почувствовала, что ему хочется обнять ее сейчас.

Он не обнял, извинился, наткнувшись на нее в темноте, и на ощупь пробрался в дом.

Лина испугалась, что он мог ощутить ее желание прикоснуться к нему.

Четверг, 5 июля

Сегодня Филин оставил машину на другой стоянке, напротив здания городской администрации. Двухэтажный дом с триколором у входа выстроен был фасадом к площади с памятником Ленину посредине. Памятник выглядел ухоженным, чистеньким, со свежими цветочками у подножия. Филин пискнул электронным замком. Бросать здесь «Тойоту» не хотелось, у здания могли крутиться полицейские, но оставлять ее в другом месте еще хуже. Иномарок в городе было немного, и чужая, тем более дорогая тачка, припаркованная где-нибудь на улице, могла привлечь внимание.

Сначала он прошелся мимо Тамариного дома, не торопясь и не глядя по сторонам. Остался доволен, ничего подозрительного. Какая-то мелкотня гоняла на велосипедах, на соседнем участке тетка ковырялась в земле. Было бы что не так, он почувствовал бы.

Кривыми улочками вышел к дому бабки Овсянниковой, опять прошелся по узкой тропинке между участками. В сад к Овсянниковой не полез, понаблюдал из кустов: все тихо. Прошел чуть дальше, к участку молодой соседки, подумал и, устроившись в высокой траве у самого забора, стал наблюдать за ее домом. Не то чтобы он ждал чего-то конкретного, просто возникло чувство некоторой неудовлетворенности, что-то смутно не нравилось ему в безмятежном поведении соседской девицы.

А может быть, просто не нравилась она, несмотря на гибкую ладную фигурку?

Сегодня девица опять хлопотала в заросшем саду. Собирала ягоды, перебираясь с ведерком на шее от одного кустарника к другому, относила собранное в дом, иногда курила на крылечке. Однажды надолго замерла у корявой однобокой яблони, уставившись на соседний участок.

По возрасту девица вполне годилась Тамаре в подружки. Конечно, будь та у нее в доме, не вела бы соседка себя так спокойно. Скорее всего, перепугалась бы насмерть и носа на улицу не высунула.

Девица продолжала мельтешить в саду. Кого-то она напоминала Филину, тот еле вспомнил кого. Девчонку из школы, что училась классом младше. Как же ее знали... Вера? Вика? Имени он так и не вспомнил, а саму девчонку вспомнил хорошо, когда-то она ему очень нравилась, только он этого не понимал. Девчонка ходила в музыкальную школу мимо площадки, где Филин с дружками обычно «тусовался», как теперь говорят. Шла себе, на мальчишек внимания не обращала и казалась ему такой красивой, что у Филина перехватывало дыхание. Ни от одной женщины, а у Филина их было немало, у него так не перехватывало дыхания.

У Веры-Вики была такая же гибкая тонкая фигурка, как у девицы в саду.

Делать здесь было нечего, давно нужно уходить, но Филин не уходил, медлил.

Снятые Павлом кадры Тамара разглядывала на Линином компьютере долго и внимательно, хмурила лоб, кусала губы. Лина следила за ней, замерев.

— Он, — откинувшись на спинку стула, наконец констатировала подруга и для верности покивала: — Филин. Вот скотство, а? Целый день под боком находился, а мы и не подозревали.

Вчера Тамара после предыдущей почти бессонной ночи заснула как убитая, Лина не стала будить ее, когда пришел Павел, и еле дождалась утра.

— Девочки, вам надо отсюда уходить, — опять завел Тропинин. Он тоже еле дождался, когда Тамара проснется, хотя почти не сомневался, что в соседнем доме весь вчерашний день торчал придурок-киллер с неоригинальной птичьей кличкой.

— Отстань, — отмахнулась Тамара. — Без тебя тошно. Ну куда мы пойдем? В гостинице сидеть? Там он нас скорее выследит. Уж лучше здесь.

— Не лучше! — отрезал Тропинин.

— Отстань!

— Том, позвони еще раз Сергею, — предложила Лина.

Тамара в который раз безрезультатно набрала номер, абонент по-прежнему находился вне зоны действия сети.

— Я наведаюсь на завод, — решил Тропинин. — Есть у меня одна мысль.

Ему было страшно оставлять девчонок и очень хотелось взять с собой Лину, но, зная, что она без крайней необходимости Тамару не оставит, не стал ей даже и предлагать.

— Не теряй бдительности, Тома, — напомнил Тропинин. — Передвигайся ползком.

— Не глупей тебя, — огрызнулась она.

На крыльце и потом по дороге Тропинин заставлял себя не оглядываться по сторонам и старался погасить тягостное чувство тревоги. Чувство это называлось интуицией, но он еще этого не понимал.

Утренний городок шелестел кронами деревьев, перекликался птичьим чириканьем и звонкими детскими голосами. Миновав проходную завода, Тропинин почти бегом рванул к компьютерам наружного наблюдения, радуясь, что его ребята не отключали смонтированную систему.

— Вы что хотите посмотреть, Павел Владиславович? — удивился самый молодой инженер Борька Фролов, только недавно принятый Тропининым на работу. За Борьку просила мамина подруга. Тропинину очень не хотелось брать парня, он не любил «блатных», но отказать не мог, Бориса взял и об этом не жалел. Мальчишка оказался толковым и трудолюбивым. Впрочем, бездельника Павел бы не потерпел, несмотря ни на какие знакомства.

— Да так, Борь, — отмахнулся Тропинин. — Надо проверить кое-что.

Вчера Филин, или как его там, выруливал со стоянки как раз в сторону завода. «Тойоту» со знакомым номером Тропинин увидел на экране компьютера минут через двадцать. Судя по времени, киллер вчера проехал мимо заводского забора, никуда после гостиницы не заезжая.

Тропинин прошелся по тесному помещению, не обращая внимания на удивленные взгляды сотрудников, вышел на крыльцо покурить, постоял, глядя на синее июльское небо, и, вернувшись к компьютеру, заставил себя не торопиться. Внимательно прокручивал запись, тщательно разглядывая запечатленные нечастые машины, и обнаружил, что часа два назад «Тойота» вернулась в город. Опять проехала мимо стоящего на самой окраине завода, только теперь уже в противоположном направлении.

Очень хотелось немедленно броситься к оставленным девушкам, но он себя пересилил, заглянул к директору. Впрочем, заглянул напрасно, об Овсянникове тот ничего не знал, и почему молчит телефон главного акционера, не догадывался. А может, просто не хотел говорить.

К знакомому дому Тропинин вернулся часа через три и сначала даже не испугался, стоя у запертой двери, только удивился, что ему так долго не открывают. Испугался он, когда, обойдя дом, заметил приоткрытое окно. Перемахнув через подоконник, он ходил по пустому дому, холодея от ужаса и слабо утешаясь тем, что никаких следов борьбы или тем более крови нигде не видно.

— Пойду, что ли, ягоды собирать, — вздохнула Лина.

— Хорошо тебе, — позавидовала Тамара. — А я тут в духоте сидеть буду, бедная.

Тамара все утро рылась в бабушкином книжном шкафу, но так ничего и не выбрала. Не классику же читать, в самом деле.

— Можно твой комп включить? — спросила она у Лины.

— Включай, конечно. Том, может, тебе все-таки уехать? Поезжай на юг куда-нибудь, вернешься через неделю или две.

— Боишься, значит? Выгонишь меня, как Костик?

— Тома, кончай, — поморщилась Лина.

— Тогда не приставай. Чего ради я куда-то попрусь? И бабка должна вернуться не сегодня завтра. Господи, уж скорее бы Сережа приехал.

— Ты еще раз звонила?

— Я еще сто раз звонила. Недоступен он, блин.

Сегодня Лина занялась кустарниками: смородиной, крыжовником. Сначала хотела собирать ягоды отдельно, но поленилась, ссыпала в одно ведро все подряд. Получится варенье ассорти, тоже вкусно. Когда-то маленькой Лине приходилось подолгу возиться с ягодами, обрезать плодоножки, протыкать крыжовник, чтобы в варенье ягоды не разваривались, оставались целыми, прозрачными. Лина протыкала крыжовник, а бабушка что-нибудь рассказывала. Почему-то именно возясь с ягодами, Лина просила ее рассказывать семейные предания. Про прапрадеда, который потерял на турецкой войне три пальца, и прапрабабушка ждала его долгих шесть лет. И дождалась, замуж не вышла, хотя к ней многие сватались. Или про прабабушку, которая остригла волосы, окончила курсы медсестер, перевязывала раненых в Первую мировую войну и встретила в госпитале своего будущего мужа, Лининого прадеда. Прадеда в 37-м посадили, но про это Лина слушать не любила, и бабушка не рассказывала.

Иногда приходила тетя Клава, помогала перебирать ягоды, и тогда они пели в три голоса старинные романсы, ничего другого бабушка не признавала.

Почему бабушка написала про тележку? Чем ее удивила какая-то тележка?

Лина подошла к кривой яблоне, оглядела соседский участок — никого, тетя Клава еще не приехала. Дверь дома закрыта, окна тоже.

Куда делся фотоаппарат? Украли? Проникли в дом, взяли фотоаппарат, а все остальное не тронули?

Подобрала с земли упавшее яблоко, надкусила — кислое, бросила в кучу травы, которую накидала, стараясь немного прополоть кустарники. И тогда случайно боковым зрением заметила движение за забором. Стараясь ничем не выдать внезапного страха, Лина повела головой, словно подставляя лицо солнцу, и не позволила взгляду задержаться на еле видневшемся за забором темном пятне. Вчера никакого темного пятна там не было, она обходила участок, за забором не видела ничего, кроме ровной травы.

Стараясь двигаться медленно, направилась к дому, неторопливо закрыла за собой дверь, потом быстро заперла ее и, рванувшись на второй этаж, приникла к окну, стараясь загородить себя занавеской. Со второго этажа человек за забором был виден лучше, то есть вполне угадывалось, что это именно человек, а не брошенная кем-то тряпка. Впрочем, замаскировался он неплохо, если бы Лина не знала, куда смотреть, не заметила бы.

— Тома, уходим, — аккуратно поправив занавеску, прошептала она подбежавшей Тамаре, смотревшей на нее с изумлением и почему-то с жалостью.

Девка ушла в дом, раскаленный воздух дрожал над горячей землей. Хорошо бы стянуть черную футболку, но лень двигаться, да и опасался он, боялся привлечь внимание. Филин отпил глоток воды из припасенной бутылки, не столько экономил воду, сколько собственные силы. Знал, что в жару много пить нельзя, если хочешь оставаться свежим и бодрым.

Сказал себе, что пора уходить, а поступил иначе, пригнувшись, прошел вдоль забора, в одном месте заметил раздвигающиеся штакетины, перебрался на соседний участок и кустами подобрался к дому. На самом углу прижался вплотную к фундаменту и прошмыгнул под окнами.

Приоткрытое окно Филин увидел сразу. Натянул перчатки, подтянулся, ухватившись за подоконник, заглянул внутрь пустой комнаты, замер, прислушиваясь, и мягко спрыгнул на деревянный пол.

И сразу почувствовал, что в доме никого нет.

А ведь мог бы и уйти, не поверить собственному чутью. Девчонка вела себя спокойно, в его сторону ни разу не посмотрела. Не должна была его увидеть...

Да если бы и увидела? Мало ли кто у забора устроился. Пьяный какой-нибудь, например. Зачем же из дома сбегать?

В калитку она не выходила, калитку он видел достаточно хорошо и ее ухода пропустить не мог.

Занятно...

На кухне сиротливо стояла недопитая чашка с чаем, рядом пластмассовое ведерко с ягодами. Филин лениво взял несколько крупных смородин, бросил в рот, ягоды оказались сладкими, он давно таких не ел. Быстро прошелся по комнатам первого этажа и поднялся по ровной, покрытой темным лаком лестнице наверх, в одно просторное помещение. У стола с открытым ноутбуком почти не задержался, остановился только у криво застеленного диванчика. На нем лежала отглаженная женская футболка, белая, с огромным цветком на груди.

Такая же была на Тамаре, когда он видел ее в последний раз.

Футболку Филин трогать не стал, даже отвернулся от нее, стараясь унять подступающую злость.

Скажи ему кто, что его проведут две бабы, он бы живот надорвал от смеха.

Из дома вылез тем же путем, через окно. Участок покинул проторенной дорожкой, через лаз в штакетнике.

В полицию девкам соваться не с чем, их там засмеют. Подумаешь, увидели кого-то за забором. В полицию они не сунутся, в этом он был уверен.

По узкой тропинке на этот раз пошел не к центру города, а в другую сторону, к железнодорожным путям. За железной дорогой виднелся лес, совсем рядом. Только перейти через полосу цветущего луга.

Девчонки вполне могли смотреть сейчас на него из леса. Сам бы он именно там и спрятался.

Правда, у них есть и другой вариант, спрятаться у друзей-приятелей-знакомых. Филин бы такой вариант не рассматривал, он давно был одиноким волком, но они могли.

И ведь знал, что бабы приносят несчастье. Какого черта сунулся к черноглазой Тамаре?

Он вздохнул. Филин не любил опасных совпадений, и почему она дважды попалась ему на глаза в самых неподходящих местах, выяснить было совершенно необходимо. А вот потом произошло непредвиденное — с ней он как-то расслабился. Глупо. Глупо и опасно.

Филин посмотрел в сторону леса. Злиться нужно было на себя, а он злился на них. Даже не на них обеих, а только на одну, на Тамарину подружку. Впрочем, долго злиться он себе не позволил. Вот когда выполнит заказ...

Заказ был не слишком сложным. То есть программа-максимум была действительно сложной — заставить Овсянникова подписать нужные бумаги. Но допускался и второй вариант, попроще: нет человека — нет проблемы. Тут у заказчиков особых требований не было, на несчастном случае они не настаивали.

Когда-то он жил такими заказами, но с тех пор прошло много времени, он почти привык чувствовать себя законопослушным гражданином, и если бы не крайняя необходимость, ни за что не взялся бы за эту работу. Необходимость заключалась не в деньгах. Он просто не мог не выполнить этот заказ, его попросили люди, которые слишком много о нем знали.

Филин еще раз оглядел веселенький июльский пейзаж. Поразмышлял, не пойти ли на речку поплавать. Не пошел.

Выбирались через заброшенный участок. Когда-то тут жила молчаливая бабушка Фрося, слывущая местной колдуньей. Лечила соседей отварами из трав, умела заговаривать кровь. Это Лина видела собственными глазами: лет в шесть распорола себе ногу, зацепившись на улице за какую-то железку. Кровь текла и текла, бабушка не на шутку перепугалась, а проходившая мимо соседка пошептала что-то над Лининой ногой, и кровь почти мгновенно течь перестала. С соседями Фрося почти не общалась, только улыбалась и кланялась при встрече. Маленькая Лина ее почему-то очень боялась, а бабушка жалела, носила Фросе продукты и лекарства. Умерла Фрося, когда Лина училась в десятом классе. Дом с участком достался какому-то дальнему ее родственнику, но он появился только однажды, с тех пор участок зарастал травой, а дом совсем развалился.

Пролезли под покосившимся забором, сначала Тамара, потом Лина.

— К Николаю Иванычу давай, — решила Лина, выглядывая на безлюдную улицу с Фросиного участка.

— Я не пойду, — отрезала Тамара. — Он в ментовку сунется, только хуже будет.

— Что же нам, — изумилась Лина, — в лесу теперь жить? Не дури, Тома. В Москву ты не хочешь, к Николай Иванычу не желаешь...

— Не хочу! Ты иди куда угодно, а я не пойду.

— Ты спятила?

— Я буду ждать Сережу, — зло объяснила подруга. — Тебе хорошо, у тебя муж богатый... У тебя вон еще Павел есть, а у меня вся надежда только на Сергея.

— Ладно, — сдалась Лина. — Жди в лесу, где мы раньше подосиновики собирали. Помнишь?

— Склероза пока нету, — буркнула Тамара. Понимала, что злиться на Линку не с чего, а все равно злилась, на бывшую подругу злилась даже больше, чем на судьбу.

— Жди меня там. Я у Николай Иваныча машину попрошу, все лучше будет, чем под открытым небом.

По улице Лина шла, стараясь не бежать и не оглядываться. К счастью, старый знакомый оказался дома.

— Николай Иваныч, — без стука вошла в чистую кухоньку Лина. — Одолжите, пожалуйста, мне машину. Здрасте.

— Здравствуй, — оглядел ее бабушкин друг, оторвавшись от плиты, на которой помешивал что-то в кастрюльке. — Почему не заходишь? Я уж сам хотел идти тебя проведать.

— Да у меня... — Нестерпимо хотелось поделиться всем со стариком. Лина знала, что совет он может дать очень дельный. — Потом расскажу. Николай Иваныч, пожалуйста, одолжите машину.

— Зачем? — Он выключил под кастрюлькой газ и неторопливо уселся за стол, кивнув Лине — присаживайся.

По дороге она наспех придумала, что машина нужна ей для поездки в соседний город, где совсем недавно был заново отстроен древний монастырь, и куда она действительно планировала съездить.

— Потом все расскажу. Не сейчас.

— Завтракать будешь?

— Нет.

— У тебя все в порядке? — пытливо посмотрел на нее старый милиционер.

— Да, — заверила Лина. — Просто... Мне очень нужна машина. На несколько дней.

— Костя вчера уехал, — не глядя на нее, сообщил старик.

— Я знаю. — Она совсем забыла про Костю. Сейчас ей казалось, что она его видела вечность назад. — То есть знаю, что он собирался уезжать.

— Уехал, — подтвердил Николай Иванович. — У вас?..

— У нас с Костей ничего, — доложила Лина. — Мы с ним друзья детства.

— Знаешь, Лина, мне ваша... дружба никогда не нравилась. Скользкий он парень. У них вся семья такая.

— Господи, Николай Иваныч, — удивилась Лина. Она так опешила, что даже села за стол напротив хозяина. — Почему скользкий? И при чем тут его семья?

— Семья всегда при чем, — усмехнулся он. — Дети почти всегда вырастают копиями своих родителей, по-другому редко бывает. Очень редко. Ты уж мне поверь, я всю жизнь людей наблюдаю. Вот ты, например, копия Полины-покойницы. И не только внешне. Та тоже всегда была... вещь в себе. И грех у вас с ней один на двоих — гордыня.

— Гордыня? — поразилась Лина.

— Гордыня-гордыня, — подтвердил Николай Иванович. — Вроде и держишься ты, как и она, скромно, и барства никогда не допускаешь, а чувствуется, что идешь ты своим путем и никакие авторитеты тебя с этого пути не сдвинут, не то что простые люди. Ты вот не хочешь мне сказать, отчего тебе вдруг моя машина понадобилась, и бабушка твоя не сказала бы. Не любила она на других свои проблемы перекладывать, и в этом тоже была гордыня. Иногда можно и за помощью обратиться. Я ведь вижу, что они у тебя есть, проблемы-то.

— Проблемы есть, — согласилась Лина. — Но я с ними справлюсь. Вы мне лучше про Костю расскажите.

— Про Костю... Подожди-ка. — Николай Иванович достал с верхней полки высокого книжного стеллажа толстый старый альбом для фотографий, открыл одну страницу и показал Лине: — Вот, видишь, это мой отец, а это Костин прадед. Похож на него, правда?

— Похож, — согласилась Лина. Со старой фотографии на нее смотрели строгие красивые мужские лица с непривычными прическами, волосы расчесаны на косой пробор. Один и вправду был очень похож на Костю. То есть Костя на него.

— Мой отец и Костин прадед ухаживали за одной девушкой. За моей матерью. Она выбрала отца, а его перед войной посадили как врага народа. Он военным инженером был, связистом. Я родился, когда он уже сидел. В войну, правда, его выпустили, разрешили смыть вину кровью. Он и смыл, дважды был ранен, пришел с войны без ноги. А в сорок шестом его опять посадили, и больше мы не виделись. Я когда в милицию работать пошел, долго добивался дело отца посмотреть. Добился, посмотрел, тогда еще о репрессиях говорили только шепотом. Оба раза доносы на отца писал Костин прадед. Вот так. В первый раз доложил, что он с врагами народа якшается, и был прав, потому что папа соседке одной, у которой сына незадолго до этого посадили, помогал: крышу залатал и забор выправил. А во второй раз сообщил Костин прадед, что мой отец клевещет на советскую власть. И опять был прав, потому что отец искренне восхищался чистотой и порядком немецкого быта. А каждому ясно, что это клевета, потому как не может быть ничего прекраснее советской действительности.

— Мерзость, — покачала головой Лина. — Только Костя-то тут при чем?

— Очень уж на прадеда похож, — усмехнулся Николай Иванович. — Сама же видишь. Человек по наследству не только черты лица передает, черты характера тоже. Я много раз в этом убеждался. Так что я рад, Линочка, что с Костей у вас разладилось. Ладно, девочка, заговорил я тебя.

— Николай Иванович, — неожиданно спросила Лина. — Бабушка знала, что Костин прадед донес на вашего отца?

— Знала, — помедлив, кивнул Николай Иванович, скрылся в комнате и вернулся с ключами от машины.

Выезжая на старенькой «Ниве» из металлических ворот, Лина неожиданно подумала, что бабушка не любила Костю и даже как будто не очень удивилась, что он предпочел Тому. Странно, что раньше это никогда не приходило Лине в голову.

Проезжать мимо собственного дома не стоило, но она не удержалась, проехала — очень хотелось увидеть Павла. Улица была пуста.

Назад Филин пошел по улице, стараясь держаться в теночке — жарко. Никого вокруг не было, будто повымерли все, ни людских голосов не слышно, ни даже собачьего лая. Только за поворотом, на крохотном перекрестке у продуктовой палатки, два мужика потягивали пиво из бутылок. Филин тоже попросил пива у веселой дородной продавщицы, оно оказалось холодным и неожиданно вкусным.

— Здорово, мужики. — Издали они показались ему похожими на бомжей, а теперь он понял, что ошибся. Одеты собутыльники были чисто, в футболки и джинсы, и лица имели вполне трезвые. Обоим лет по пятьдесят.

— Здорово, — откликнулся один, а второй молча кивнул.

Будь они попьянее, было бы лучше, жаль, но выбирать не приходилось.

— Дело у меня к вам, мужики, — понизил голос Филин. — Я тут у вас телку себе присмотрел...

Про «телку» одному не понравилось, дернул бровью, ишь интеллигент нашелся. Филин поправился:

— Девчонка мне одна очень приглянулась, тонюсенькая такая, вон там живет, — Филин кивнул на кривую улочку. — Кто она, не знаете?

— Да у нас тут ни девчонок, ни мальчишек... — начал тот, которому не понравилось про «телку». — Вся молодежь давно в больших городах.

— Полины Васильевны, библиотекарши покойной, внучка, — сообщил второй, прилаживая пустую бутылку около урны. — Я ее пару дней назад с Николай Иванычем видел.

— Тоже Полина, — вступил первый. — Хорошая девчонка росла, я не знал, что она приехала.

— Кто такой Николай Иваныч? — Филину было не до душевных качеств сбежавшей девки. — У нее с ним что, любовь?

— Это вряд ли, — усмехнулся тот, у которого пиво кончилось. — Николаю Иванычу восьмой десяток пошел.

— Давайте я вас угощу, — предложил Филин.

— Сами зарабатываем. — Чем-то эта парочка раздражала Филина, так и заехал бы обоим.

— Ну ладно, мужики, бывайте. — Дольше торчать тут не имело смысла, лучше еще раз вернуться под вечер, когда рабочий люд потянется расслабиться перед сном.

Утром он оставил машину в тени большого тополя, а сейчас она оказалась на самом солнцепеке, Филин чуть не задохнулся, пока доставал припрятанный под сиденьем ноутбук.

К «экспедициям», как Филин называл свою эпизодическую работу, он готовился всегда основательно и на этот раз тоже обзавелся нужной информацией, полицейскими базами данных, купленными за вполне приличные деньги. Николай Иванович, прописанный по близлежащим адресам, был только один. Старик семидесяти четырех лет.

К нему следовало наведаться. Выпускать девчонок из виду никак нельзя.

Уже собирался выключить ноутбук, но, привыкнув делать все добросовестно, открыл еще одну базу данных и правильно сделал, потому что у старика, оказывается, есть транспортное средство. Филин повторил про себя номер «Нивы».

То ли от жары, то ли от выпитой бутылки пива голова потяжелела. Филин пообедал в крохотном ресторанчике, смотрящем окнами на автомобильную стоянку, и позволил себе отдохнуть — поехал все-таки на речку поплавать.

Оставаться в доме было бессмысленно. Тропинин тупо смотрел на брошенный на письменном столе Линин телефон, отвечавший на его вызов незнакомой музыкой, пока приятный женский голос не сообщил ему, что абонент не отвечает.

Нужно собраться с мыслями, но мысли разом куда-то исчезли, как будто он совсем потерял способность соображать.

Она не могла исчезнуть, не оставив ему весточку. Хотя... Он для нее чужой человек, это она для него... не чужая. Не чужая с той самой минуты, когда он испугался, что ей придется идти мимо укрытой в кустах машины.

Или он почувствовал это еще раньше, когда он смотрел на нее в поезде..

Ему очень хотелось обнять ее, когда вчера она ждала его на крыльце дома.

Нужно было сказать ей, что она для него... не чужая, запоздало посетовал Тропинин. Надо было сказать, что ни одна женщина никогда не вызывала у него такого щемящего желания заботиться о ней.

Тропинин зачем-то взял ее телефон, сжимая его в руке, напоследок обошел сад, машинально погладил ствол обломанной яблони. В таком саду хорошо пить чай по вечерам. Разговаривать ни о чем. Просто сидеть молча.

Жена его молча сидеть не умела даже несколько минут. Он приходил уставший, отвечал нехотя, она надувалась, включала музыку, от которой у него сразу же начинала болеть голова. Он терпел, потому что музыка была все же лучше ее упреков. Справедливых, между прочим. Он действительно не уделял ей внимания, и она действительно его раздражала. Нужно было развестись гораздо раньше, а еще лучше совсем не жениться. Он ведь никогда не заблуждался, знал, что ее не любит, еще когда она была его невестой.

Когда она была еще невестой, они поехали на выходные к каким-то ее родственникам, Тропинин так и не смог запомнить, кем ей приходится немолодая супружеская пара. Хозяйка кормила их очень вкусной малиной с молоком, а невеста морщилась и утверждала, что у нее аллергия на ягоды. Тропинину тогда стало очень стыдно за нее, и он один ел малину и пил молоко.

Потом они купались в Оке, и Тропинин, которому до смерти не хотелось ехать к совершенно чужим людям, уговаривал невесту быть полюбезнее, а она обижалась.

Потом он, оставив ее загорать на раскинутом пледе, прошелся вдоль реки, а когда вернулся, невесту не застал. Нашел только плед и сиротливо лежащую одежду.

Невеста выскочила к нему из ближайших кустов, когда он совершенно ошалел от ужаса, метаясь по берегу.

Ей очень нравилась собственная шутка.

Мысли цеплялись за жену, потому что думать о Лине ему было страшно.

У небольшого рынка мельтешил народ. Мелькнула длинная цыганская юбка, как у Лины. Тропинин тупо замер, метнулся в негустую толпу покупателей. Женщина в цветастой юбке исчезла.

Он не думал о том, что будет, если он не найдет Лину. Он избегал об этом думать, словно на этом кончалась его собственная жизнь.

По-настоящему страшно Тамаре стало, когда она добежала до еловой посадки, где они когда-то собирали подосиновики. Собирали с Линкиной бабушкой Полиной Васильевной. Тамара шла с пластмассовым ведерком, а Лина с маленькой корзинкой. Тамаре тоже хотелось корзинку, она, придя домой, зло плакала, заставляла маму идти на рынок, но там таких маленьких корзин не продавали, и до сих пор от детских грибных походов у Тамары осталось только смутное чувство обиды.

Крошечные когда-то елочки поднялись, стали вполне взрослыми деревьями. Тамара пристроилась на мягкой хвое, разглядывая сквозь колючие лапы грунтовую дорогу. Сейчас ее знобило, даже удивительно, что еще недавно она изнывала от жары. Знобило от страха, это она понимала. С Линой ей было не так страшно, и от этого она почему-то опять злилась на нее. Сама она, если бы они поменялись местами, с Линкой возиться не стала бы, это точно. Выгнать не выгнала бы, но и влезать в чужие игры не стала бы. В крайнем случае, в полицию бы заявила, и дело с концом.

Особенно если бы Линка попыталась отбить у нее парня. О том, что когда-то вышло с Костей, Тамаре вспоминать было неприятно, она поерзала на своей хвойной подстилке и опять уставилась на дорогу. Хорошо, что у Лины с Костей так вновь и не срослось, она не пережила бы этого. И не то чтобы Костик очень ей нравился, нет в нем ничего особенного, кроме того, что ходил за Линкой как привязанный. Очень это Тамару раздражало, очень.

А ведь они с Костей похожи, Тамара это понимала уже тогда, много лет назад. На ней он никогда не женился бы. Зачем ему теща-челночница? Его отец, например, поехал в Ленинград учиться, так там и остался, женившись на Костиной матери-ленинградке, назад не вернулся. И работу хорошую получил благодаря женитьбе. Ей обидно было то, что на Лине Костя хотел жениться. И женился бы, хоть она не смогла бы обеспечить ему широкого жизненного пути. Не те у нее родители, простые инженеры. Или научные работники, что ли? В общем, голь перекатная.

Нищую Лину Костя в жены взял бы, а нищую Тамару — нет. Давняя обида поднялась откуда-то изнутри, затмевая притихший страх. Очень захотелось курить, нестерпимо. Обычно Тамара курила мало, предпочитала беречь здоровье, даже Линке пеняла, когда та смолила в саду. Тамара вообще подругу понимала плохо. Вот какого черта она тогда сорвалась назад в Москву? Тамара ни за что бы не уехала, за свое счастье надо бороться, стоять до последнего, насмерть.

Шум мотора Тамара услышала издалека и сразу забыла про старые обиды и недавний страх.

Ей стало легче и даже день опять показался жарким. Она выскочила на дорогу, не дожидаясь, пока Лина затормозит.

— Ты что делаешь-то? — разозлилась та, выключив мотор. — Даже не смотришь, кто едет. А если бы это оказалась не я?

— Ты это, ты, — засмеялась Тамара. — Я чувствую. Как кошка. Знаешь, у нас раньше кошка была, персидская, так она маму встречать шла, когда та только в подъезд входила.

— Тома. — Лина вылезла из машины, потянулась. — Нам нужно на рынок съездить, купить одежду какую-нибудь. Вечером может быть холодно.

— Угу.

— И Павлу сообщить, что мы в бегах.

Что же она не догадалась захватить телефон? Сумку с документами и банковскими картами схватила, а телефон забыла. У Тамары мобильник есть, она его из рук не выпускала, но в нем нет номера Павла.

— Это еще зачем?

— Но... — растерялась Лина. — Он же нам помогал. И вдруг мы исчезли...

— Ну и что? Исчезли и исчезли.

— Нехорошо, Том. Нужно как-то ему сообщить.

— Интересно, как мы сообщим? В гостиницу к нему пойдем, чтобы нас подстрелили по дороге? Да ты даже не знаешь, в каком он номере!

Лина промолчала. Почему, собственно, она решила, что Павел будет за них переживать? С чего взяла, что его касаются ее проблемы?

— У твоего Павла таких, как ты, в каждой командировке по штуке. А у тебя, между прочим, муж есть. Или мужа нет?

Павел порядочный, ответственный человек. Чужая женщина попала в тяжелую ситуацию, и он обязался помочь. Только и всего.

— Ладно, — вздохнула Лина. — Поехали на рынок.

Думать о том, что она больше не увидит Тропинина, было неприятно.

Может, и к лучшему, что они больше не встретятся. Знакомы всего ничего, а она все время о нем думает, как будто ей подумать больше не о ком. О киллере, например. Или о Стасе.

Права Тома, она, Лина, Павлу никто. И нечего себе выдумывать новую жизнь.

До рынка добирались по длинной дороге с другой стороны города. Он располагался напротив старой церкви. Сколько Лина себя помнила, церковь всегда стояла полуразрушенной, а теперь смотрела на рыночную суету замечательно отреставрированным фасадом.

Выпутаемся из этого кошмара, поставлю свечку, решила она.

— Лин, — заговорила вдруг всю дорогу сосредоточенно молчавшая Тамара. — А я ведь твою бабушку как раз накануне смерти видела. Я по улице прогуливалась, а они с Антониной Ивановной из вашего дома вышли. Потом Полина Васильевна вернулась, и к ней почти сразу тетя Клава зашла. Знаешь, я поверить не могла, что Полина Васильевна умерла.

Тамара прогуливалась морозным вечером в надежде встретить Костю. Были студенческие каникулы, она знала, что он приехал, и очень хотела, чтобы у них получилась настоящая большая любовь. Почему-то в тот вечер она была уверена: любовь у них получится, и жалела, что впервые не приехавшая на каникулы Линка этого не увидит.

Костю она так и не встретила, закоченела и пошла домой.

— Я тоже долго не могла поверить, что бабушка умерла. — Лина припарковала «Ниву» почти у входа на рынок. — Ладно, пойдем отовариваться.

Тропинин высматривал цветастую юбку, но они обе, и Лина, и Тамара, появились одетыми совсем по-другому: в короткие брючки чуть ниже колен и простенькие футболки, только что купленные, и от этого казались совсем незнакомыми. Раньше Тропинин знал, как называются такие брючки, жена часто носила подобные, а потом забыл за ненадобностью. Но об этом он подумал после того, как понял, что стоит у них на пути, глупо улыбаясь, и удивился, что день, оказывается, теплый и солнечный, и дует легкий приятный ветерок, и в такой день нужно радоваться жизни просто так, ни от чего. Он вообще сразу как будто проснулся, вернее, ожил, словно до этой минуты был не вполне живым. Впрочем, наверное, так и было.

— Ну вот, — засмеялась Тамара. — А ты переживала. Никуда твой Павел не делся.

— Ты как нас нашел? — спросила Лина и тоже засмеялась.

Жаль, что рядом стояла ее подруга, ему нестерпимо хотелось обнять Лину, прижать к себе и не отпускать, и объяснить ей, что она для него больше не чужая.

— Нашел, — отмахнулся он и, спохватившись, протянул Лине телефон, который так и нес в руке: — Вот. Что случилось?

— Ой, — затараторила Тамара. — Ты не представляешь...

— Пойдемте в машину, — перебила ее Лина.

В машине Тропинин холодел от ужаса, слушая их сбивчивый рассказ. Впрочем, нет, это неверно, ужас был, когда они пропали и он не знал, что с ними.

— Лихо, — прокомментировал он и признал: — Молодцы.

Им вообще везло сегодня. Даже номер Овсянникова, который Тамара в очередной раз набрала, уже не надеясь услышать ответ, неожиданно отозвался голосом Сергея Михайловича.

— Ой, Сережа! — завопила Тамара, прыгая на сиденье рядом с Линой. — Сереженька! Это Тамара Ропкина, ты меня помнишь?

— Тише ты, — зашипела Лина. — Не ори на всю улицу.

— Сережа, приезжай скорей. Тут у нас такое!.. За нами с Линой киллер охотится. — Тамара пихнула ее рукой — не мешай. Зря она сказала про Линку, не стоило. Пусть Сергей беспокоится только о ней, о Тамаре. — То есть это он за тобой охотится, а мы так... под руку попали.

Как ни странно, ситуацию она обрисовала точно и кратко, Тропинин даже не ожидал. И не ожидал, что Овсянников отреагирует мгновенно и по делу.

Тамара отключила телефон и удовлетворенно откинулась на сиденье:

— Сейчас человек подъедет.

— Какой человек? — поторопила ее Лина.

— Черт его знает. Сейчас к нам подойдет какой-то Владислав Прохоров.

— И что?

— Ну откуда я знаю? Спрячет нас, наверное.

Больше Лина ничего спросить не успела, потому что мужик, появившийся неизвестно откуда, наклонился к открытому окну машины:

— Прохоров. Владислав.

Он имел вид вполне бандитский: в черной футболке, под которой бугрились мышцы, и с волосами, стянутыми на затылке в хилый хвостик.

Окинув быстрым взглядом девушек, Прохоров уставился на Тропинина, наверное, признал в нем главного.

— Тропинин, — вздохнув, представился тот. — Павел.

Больше ничего объяснять не пришлось. Прохоров кивнул, отчего-то вполне удовлетворенный его ответом, как будто ему объяснили, кто такой Тропинин и что он здесь делает. Впрочем, об этом Тамара успела рассказать Овсянникову, а тот, наверное, объяснил своему помощнику.

— Я отвезу вас домой к Сергею Михайловичу, — доложил Владислав. — Побудете там, пока он не приедет.

— Я не поеду, — сразу решительно отказалась Лина. — Я лучше у Николая Ивановича поживу.

Видимо, Прохоров знал, кто такой Николай Иванович, потому что лишних вопросов не задал, а безуспешно пытался уговорить ее слушаться Сергея Михайловича и сдался только после долгих препирательств и звонка шефу.

— Предлагаю другой вариант, — сказал Тропинин. — На заводе есть мини-гостиница, сейчас она пустует, насколько я знаю. Давай, я тебя там устрою. Территория охраняется, и сам я туда могу переехать. Для дополнительной охраны.

Этот вариант немногословного Прохорова устроил больше, он, пожевав губами, согласно кивнул и выжидающе уставился на Лину, пока она тоже не кивнула, соглашаясь.

Мужчины обменялись контактными телефонами, счастливая Тамара удалилась под охраной Владислава, и Тропинин пересел на переднее сиденье рядом с Линой. О том, что она ему не чужая, он так и не сказал.

Нечто подобное Сергей Михайлович предполагал. Правда, он не предполагал, что действовать его противники станут столь примитивно, все-таки сейчас не девяностые годы.

Ехать домой необходимо немедленно, причем ехать, никого не поставив об этом в известность. Сейчас он никому не может доверять, чтобы киллер, а Овсянников верил Тамаре, не узнал о его перемещениях в тот же момент, как он отключит телефон, предупредив о своих изменившихся планах. На самом деле о том, что его заказали, он знал и без Тамары, об этом ему намекнул несколько дней назад знакомый чиновник из областной администрации. С чиновником Сергей Михайлович был знаком плохо, но поверил ему сразу. Впрочем, он и без чиновника понимал, что нежелание делиться собственностью бывает опасным для жизни.

Поезд отпадал, на вокзале его вполне могли «пасти». Можно было нанять частника, но Овсянников поступил по-другому. Выйдя из гостиницы, спустился в метро и меньше чем через час уже сидел в автобусе, отправляющемся до областного центра.

На автобусе покидать Москву ему еще не приходилось. Когда он был студентом, ездил на электричке. Билет на автобус по его тогдашнему безденежью стоил дорого, а на электричке он ездил без билета, платил контролерам без квитанции небольшие деньги, и все были довольны.

Студенческие годы Овсянников вспоминать не любил. Не то чтобы они были связаны с чем-то исключительно неприятным, просто остались в памяти чередой серых будней. В институт он поступил сразу, специальность выбрал себе техническую, а на технические факультеты в те годы никакого конкурса не было. Тогда все рвались в юристы, экономисты и черт знает еще куда, только не в инженеры. Отучился он легко, подрабатывал, где мог, а после института пошел в армию. К тому времени предприятия по большей части простаивали, а если где и теплилась какая-то жизнь, зарплаты вчерашним студентам предлагали несерьезные, на такую не только квартиру снять, а и прокормиться было невозможно.

Армию Сергей тоже вспоминать не любил, она тоже осталась в памяти чередой серых будней, и получалось, что самые приятные воспоминания связаны у него только с родным городом.

Когда, придя из армии, он увидел, какая мразь вроде Леньки Ковша устанавливает в городе свои порядки, размышлял недолго. Он стал бороться не столько за собственное место под солнцем, сколько за свой город, хотя никогда и никому об этом не говорил.

Автобус, петляя по обсаженной с обеих сторон высокими тополями дороге, повернул неудобно, солнце било прямо в глаза, и Сергей пожалел, что не догадался захватить темные очки. Поерзал на сиденье и прикрыл глаза рукой. Теперь тополей видно не стало, он посмотрел немного на серый асфальт трассы и, отвернувшись от окна, откинулся на сиденье.

Ему казалось, что в те годы его понимала только соседка Полина Васильевна, она вообще всегда его понимала. Впрочем, мать его понимала тоже, хотя вести откровенные разговоры у них было не принято.

Думать о матери ему было больно. Он многое отдал бы, чтобы между ними не пролегло то страшное, что их когда-то окончательно развело.

Наверное, он задремал, потому что неожиданно оказалось, что автобус стоит и утомившиеся пассажиры, разминая затекшие ноги, неспешно потянулись к открытой передней двери.

Областной центр встретил его толчеей на привокзальной площади. Овсянников тронулся было к пригородным железнодорожным кассам — до его городка ходила прямая электричка, потом передумал и уселся в потрепанные «Жигули» к немолодому кавказцу с усталыми черными глазами.

Дом у Сережи оказался таким, каким Тамара его и представляла — большим и неухоженным, сразу чувствуется, что настоящей женской руки здесь не хватает.

— Располагайся где хочешь, — предложил длинноволосый Владислав, отперев входную дверь. — Только на первом этаже, на второй не лезь.

— А... ты? — Тамаре совсем не хотелось, чтобы он торчал в доме, когда приедет Сережа.

— Здесь буду. — Он по-хозяйски включил электрический чайник, полез в навесную полку за чашкой, потом за заваркой.

Тамара повертела в руках сверток с юбкой и топиком, которые завернула вместо новой, купленной на рынке одежды, потопталась и спохватилась:

— Почему на второй этаж не лезть?

— Там тебя из винтовки достать — плевое дело, — вздохнул Владислав и успокоил: — Не бойся, первый этаж не просматривается. Ниоткуда.

Почти весь нижний этаж представлял собой одно сплошное помещение, межкомнатные перегородки были только намечены, как будто у хозяина не хватило то ли денег, то ли времени, то ли желания закончить строительство. Мебель была хорошая, новая, но стояла где попало. Кошмар. Тамаре захотелось привести дом в порядок, она бы безо всякого дизайнера превратила его в шикарный особняк.

Переодевшись в одном из закутков снова в юбку и топик, Тамара прошлась по вместительному помещению. Зеркало она нашла только во вполне приличной ванной. Впрочем, она и без зеркала знала, что против ее внешности любому мужику устоять трудно. И одежда оказалась неплохой, все, что нужно показать, отлично видно.

— Ты давно Сергея знаешь? — усевшись в кухне за стол, уставилась она на мускулистого Владислава.

Тот подал ей чашку, как заправский официант, и, отчего-то еле заметно усмехнувшись, объяснил:

— В армии вместе служили.

Смотрел он на нее правильно, как надо, явно нравилось ему на нее смотреть. А вот дальнейших вопросов Тамара задавать не стала, интуитивно почувствовав, что ответа все равно не получит.

Спросить же хотелось многое, что за баба жила с Сережей, например. Да и кто такой сам Владислав, тоже хотелось бы знать. Деловой партнер или так, наемный работник.

— Ты сам-то откуда будешь? — не удержалась Тамара.

— Издалека, — улыбнулся Владислав. — Но тут живу уже давно, так что, можно сказать, местный.

— И чем же тебя наш город привлек?

— Город? — задумался он и опять чуть заметно усмехнулся, Тамару уже достала эта его усмешечка. — Город ничем. Меня привлек Сергей Михайлович. Совестью.

— Что? — не поняла Тамара.

— Еще чаю будешь?

— Нет.

— Может, ты есть хочешь? Пельмени могу сварить. Или сама свари.

— Не хочу я пельменей. Что ты сказал про совесть?

— Я сказал, что Сергей Михайлович человек с совестью.

Тамаре отчего-то расхотелось расспрашивать Владислава дальше. Она поставила пустую чашку в мойку — пусть моет, если ему хочется. Она посуду мыть не станет, разве что только при Сереже.

Она никогда не оценивала людей по степени наличия у них совести. Она делила людей на умных и дураков, или, что то же самое, на богатых и бедных. Сергей Овсянников был богатым и умным. При чем тут совесть?

Она подошла к окну и слегка отодвинула занавеску. Перерытый при строительстве участок выглядел убого, только вдоль забора плотно росли кусты акации.

Думать про совесть было неприятно и почему-то тревожно. Ясно почему — она всегда была с собой честна, — потому что Сереже может очень не нравиться, как она когда-то поступила с Линой и Костей. Впрочем, он об этом, скорее всего, не знает.

Акации нужно будет вырубить и посадить что-то более изысканное. Или, по крайней мере, полезное.

Дом Овсянникова Филин видел хорошо, как на ладони. Правда, окна первого этажа загораживали какие-то кусты, но сейчас ему окна без надобности, нужно только отследить, кто появится в доме.

Филин несколько дней назад снял эту комнату, смотрящую окнами на особняк местного олигарха. Комната располагалась в двухэтажном кирпичном домике, который вполне могла бы занимать одна семья, настолько он выглядел ухоженным и уютным. Только отсутствие огороженного участка да разномастные занавески на окнах ясно говорили, что дом многоквартирный. Филин разговорился с женщинами, сидевшими у крылечка на лавочке, и тут же договорился с хозяйкой — крошечной сухонькой старушкой, что снимет приглянувшуюся комнату на месяц. Его еще тогда неприятно кольнула легкость, с какой он получил возможность наблюдать за домом мэра, ничего легкого Филин не любил.

Вот и оказалось, что легкость не к добру — возись теперь с девками.

В комнате Филин появляться не собирался до тех пор, пока не придет время следить за Овсянниковым через прицел, но проклятые девки заставили его изменить планы.

Старушка-хозяйка оказалась проницательной, сомневалась, что ушел Филин от изменницы-жены в чем был. Прямо она этого не говорила, но он чувствовал. Ну и бог с ней, с хозяйкой. Не верит и ладно. А в полицию со своими подозрениями не пойдет, в этом Филин уверен, деньги, за которые он сторговался, для старушки значат много. Филин искренне пожалел бабку, передавая ей половину оговоренной суммы — аванс. В Москве для любого работающего такие деньги — копейки, а для здешних пенсионеров сумма значительная. Особенно для тех, у кого нет собственного огорода.

Увидев Тамару, Филин не удивился. Показалось странным только, что мужик с длинными волосами привез ее одну, без подружки. Машину, въехавшую во двор дома напротив, видно было хорошо, и Филин ждал, что за вылезшей из салона Тамарой появится та, вторая, но Тамара с мужиком-конвоиром прошествовала в дом, а подружка так и не появилась.

Сейчас на Тамаре были брючки. Женщин в брюках Филин не любил, но ее даже брюки не портили, жаль, что расстояние от машины до крыльца было всего ничего, а то так и смотрел бы на ее плавную неторопливую походку.

Она давно исчезла за закрывшейся дверью, а Филин все торчал у окна, стоя боком и прикрываясь тюлевой занавеской.

Все пошло наперекосяк с этим заказом.

Еще у ресторана, когда Филин впервые увидел Тамару и она показалась ему смутно знакомой, не понравилась ему эта встреча. Впрочем, тогда Тамара показалась ему не столько знакомой, сколько кого-то очень напоминающей. Ему нужно будет обязательно понять, кого Томка ему напоминает.

А потом, когда он увидел и узнал ее на привокзальной площади, ему тем более не понравилась эта встреча. Не понравилась гораздо больше, чем в первый раз.

Зато ему очень нравилась сама Тамара, нравилась настолько, что он совершил глупую и безрассудную ошибку, сунувшись к ней домой. Или тогда он еще не понял, что она ему нравится?

Вот потом, когда она от него сбежала и он искренне ею восхищался, она понравилась ему уже всерьез.

Вообще Филин женщин никогда не обижал, даже если ему приходилось в рамках очередного заказа их убирать, делал он это очень аккуратно, никогда не допускал, чтобы жертва мучилась.

Филин прилег на кушетку, накрытую вышитым вручную покрывалом, и не заметил, как задремал. Впрочем, он знал, что к нужному часу обязательно проснется.

С директором завода Тропинин договорился быстро, тот даже не поинтересовался, за каким чертом тому приспичило переезжать из городской гостиницы, да еще вместе с какой-то бабой. Сейчас, слава богу, не прежние времена, приводи в номер кого хочешь, если одному скучно. Павел продиктовал фамилию-имя-отчество, и Лину ждал в проходной многоразовый пропуск.

Два гостиничных номера располагались на третьем, последнем, этаже здания заводоуправления и неожиданно оказались очень уютными. Делать в номере было совершенно нечего, Лина походила из угла в угол, постояла под душем, посмотрела в окно на пыльный заводской двор и окончательно поняла, что находиться здесь глупо и незачем.

Веселенький номер с розовыми обоями и светлой мебелью почему-то вызвал неприятное тоскливое чувство унылого одиночества, даже радость от встречи с Павлом улетучилась, как будто ее и не было.

Номер неожиданно напомнил ей тот, в котором они со Стасом останавливались, путешествуя по северу Африки. Ничего общего не было в захолустной заводской гостинице с вполне приличным отелем: ни широченной кровати, ни огромного телевизора на стене и окна с видом на море, было только желание немедленно исчезнуть отсюда.

Там, в отеле, номер тоже казался розовым от лучей вечернего солнца. Лина тогда долго стояла под прохладным душем, смывавшим все неприятности, усталость от долгих командировок, от возможных реорганизаций в фирме, от размолвок со Стасом, от давней, но все равно ощутимой утраты бабушки... От всего.

В комнату из душа она вошла совсем другой, она до сих пор помнила тогдашнюю легкость, и свою улыбку, и собственные мысли с ожиданием сиюминутного и долгого счастья. Стас доставал одежду из чемодана, Лина бросилась ему помогать, они мешали друг другу и смеялись, толкаясь у раскрытого шкафа. Пожалуй, она так весело больше не смеялась с того злополучного отпуска.

179

Только улыбалась, когда этого требовала вежливость.

— На море пойдем или обедать? — спросил Стас, бухнувшись в мягкое широкое кресло.

— На море, — решила Лина. Ей до смерти хотелось войти в ласковую воду, поплавать, а потом просто лежать, качаясь на волнах.

Она ничего не заметила, когда они спускались в лифте, и потом, когда шли по раскаленной даже вечером дорожке. Только через несколько минут она поняла, что муж молчит и не смотрит на нее, как будто ее и вовсе нет.

— Стас, в чем дело? — остановилась Лина. — Ты что?

— Ты хотела на море, — не останавливаясь, бросил он сквозь зубы. — Вот и иди.

— В чем дело? — Лина еле догнала его. — Ну пойдем обедать, если хочешь.

Конечно, он хотел есть, они утром толком не позавтракали, весь день провели в дороге. Она должна была об этом подумать, но не подумала.

— Стас, ну не сердись, ну пожалуйста, — теребила его Лина. — Пойдем пообедаем. Ну пойдем, Стас.

Он не пошел в ресторан, упрямо стоял на берегу, не замечая Лины.

Они помирились на следующий день. Лина старалась быть веселой, упорно делала вид, что ей нравится море и она безумно счастлива со Стасом под жарким солнцем.

Может быть, уже тогда она поняла, что их общая жизнь не сложилась и никогда не сложится?

Или она окончательно поняла это только теперь, когда встретила Павла? Когда рассказывала ему про свою работу, и ему это было интересно?

Ей казалось, что ему интересно. Ей только казалось. На самом деле она ничего про него не знает. Кроме того, что рядом с ним ей не страшен никакой киллер.

По залитому солнцем заводскому двору проехал маленький трактор. Или эта машина называется как-то по-другому?

Права Тома, у Павла таких, как Лина, может быть в каждой командировке по штуке. Или по две.

Какого лешего она сюда приперлась?

— Павел. — Лина решительно вышла в некое подобие общего холла для двух номеров. Тропинин сидел в одном из двух кожаных кресел около шаткого журнального столика, смотрел он на нее с тревогой и, как ей показалось, с жалостью. — Я не хочу здесь оставаться. Я хочу домой. То есть к Николаю Ивановичу. Извините.

Он примет ее за истеричку.

Ну и пусть.

— Почему, Лина? — почти мгновенно вскочил Тропинин. Ему так хотелось ее обнять, что он даже протянул к ней руки. Он так и замер с открытыми объятиями. — Что произошло?

— Ничего не произошло, — быстро проговорила Лина, боясь расплакаться. — Просто... я не хочу здесь оставаться. Извини, что так вышло.

— Потерпи. — Он все-таки не удержался, провел рукой по ее волосам. Впрочем, она этого не заметила. — Приедет ваш Овсянников, разберемся, что к чему, и ты обретешь свободу.

Лина потрясла головой. Конечно, она заметила, что он погладил ей волосы, от этого еще мучительнее захотелось заплакать. Стас прав, она законченная истеричка.

— Ну ладно, — вздохнул он. — Только домой я тебя не пущу, и к Николаю Ивановичу тоже. Будем с тобой в машине существовать.

Он улыбнулся, и ей сразу стало не то чтобы весело, а как-то полегче.

Ей никто и никогда не говорил: я тебя не пущу. Стас сказал бы, что она кретинка. А Костя долго и убедительно объяснял бы, что она неправа.

Но это все ерунда. Главное другое: рядом с Павлом у нее появляется твердая уверенность, что все в ее жизни будет хорошо.

— Только знаешь что... — предложил Тропинин. — Пойдем пообедаем. Столовая здесь приличная, а в городе нам светиться лишний раз не стоит. Пойдем, я есть хочу.

— Пойдем, — кивнула Лина и отчего-то засмеялась.

Он испугался, когда она вышла в холл какая-то... прибитая. Он не понимал, что ее напугало больше, чем гуляющий где-то рядом киллер, и жалел ее так, что перехватило дыхание.

Сейчас она снова стала... нормальной, и он облегченно вздохнул.

Он уже понимал, что отныне его настроение будет определяться ею, и совсем этому не удивился. Раньше он не догадывался, что такое вообще бывает.

Дорога к родному городу выглядела неплохо. Недавно уложенный ровный асфальт чернел сужающейся среди высоких тополей лентой. Где-то на одной из полос велись дорожные работы, и Сергей с грустью смотрел на смуглых черноволосых людей в оранжевых жилетах. Он так и не смог понять, почему в стране с колоссальным уровнем безработицы так широко используется труд рабочих-мигрантов из бывших союзных республик.

Впрочем, никакой загадки здесь нет — кто-то хорошо наживается на использовании привозной рабочей силы, вот и вся загадка.

Когда-то соседка Полина Васильевна утверждала, что тупая и дикая перестройка только к этому и приведет: к массовому воровству, взяточничеству и немыслимой эксплуатации, а он с ней спорил. Она еще тогда, много лет назад, предвидела, что мигранты заполнят не только рынки, но и рабочие места, которые всегда принадлежали местному населению.

Сергей о соседке вспоминал часто и жалел, что не может больше поспорить с ней или просто поговорить. В отличие от строгой и не слишком ласковой матери, Полина Васильевна излучала спокойную жизнерадостность, маленькому Сереже же всегда радовалась, специально для него делала вареники с вишней, которые он очень любил, помогала ему по русскому языку и давала читать массу книг.

Совсем «своей» она стала для Сережи, когда тому исполнилось двенадцать лет. Был такой же знойный летний день, Сергей, наплававшись, ехал на велосипеде к дому, когда его обогнал раздолбанный порожний грузовик, вильнул кабиной и переехал ничейную маленькую дворняжку Муську, с радостным лаем бежавшую ему навстречу. Дальнейшее Сережа помнил плохо, рядом сразу оказалась Полина Васильевна, накрыла окровавленную Мусю белоснежной скатертью, которая всегда красовалась у нее на столе, и насильно увела его к себе. Она что-то говорила ему, потом звонила мужу Ивану Ильичу на завод, где он работал каким-то начальником, потом, уже вместе с Иваном Ильичом, они похоронили Мусю под раскидистой березой сразу за железнодорожной насыпью.

— Я его убью, — пообещал Сережа, когда Иван Ильич снова уехал на работу, а Полина Васильевна заваривала крепкий чай с какими-то травами.

— Зачем? — Она налила ему обжигающего напитка и подвинула чашку. — Осторожно, горячо.

— Что?! — задохнулся тогда он. — Как это зачем?

— Да вот так. — Соседка налила чаю себе и уселась напротив. — Ну убьешь ты одного дебила, и что? Сядешь в тюрьму на много лет и выйдешь оттуда уголовником. Таким же придурком.

— Так что же теперь, пусть он и дальше собак давит, да?

— Сереженька, ты уже большой, но не знаю, поймешь ли... Привлечь его к ответственности вряд ли получится. Кстати, ты номер машины запомнил?

— Нет, — покачал он головой.

— Вот видишь. Даже если найдем машину, найдем этого мерзавца, доказать мы ничего не сможем. Ведь надо доказать, что он специально это сделал. Понимаешь, специально, а не случайно. Муся действительно выбежала на дорогу. К тому же я не уверена, что за сбитую собаку предусмотрена уголовная ответственность. За границей — да, а у нас нет.

— Почему? — не понял Сережа. — У нас что же, хуже, чем за границей?

— Мне трудно судить, — усмехнулась Полина Васильевна. — Я за границей не была. Я хочу тебе другое сказать... На свете очень много зла. И бороться с ним необходимо. Только бороться надо правильно. Нет у нас закона, по которому можно наказать за Мусю, значит, нужно ввести такой закон. Вот вырастешь, становись юристом, придумывай законы. Или в милицию иди работать, следи, чтобы законы исполнялись. А если просто так убивать, значит, ты ничем не лучше этого садиста.

— Как это не лучше? — обалдел Сережа.

— Да вот так. Ты про этого парня ничего не знаешь. Может, у него мать парализованная и без сына останется одна никому не нужная. Она тебе ничего плохого не сделала, зачем же ее наказывать?

— Да ну вас, теть Поль.

— Не «да ну», а слушай и запоминай. Ты мужчина. Ты должен быть сильным, умным, честным и справедливым. Ты должен уметь защитить маму, жену, когда она у тебя появится, детей. Друзей. Да мало ли кого... И для этого ты обязан беречь собственную жизнь. Не трусить, а беречь по-умному. Отдавать свою жизнь можно только за нечто такое, что этого стоит.

Она еще долго тогда говорила, он не все понял. Но понял главное — он сам строит свою жизнь и сам за нее отвечает.

После того первого раза разговоры с Полиной Васильевной стали частью его жизни.

А водилу, сбившего Мусю, Николай Иванович вскоре нашел. За собаку посадить его, конечно, было невозможно, он сел где-то через полгода за пьяную драку в городском клубе. Сергей уже тогда понимал, что без Николая Ивановича дело о рядовой драке до суда бы не дошло.

Справа от дороги показались заводские корпуса. Он не ожидал, что доберется так быстро.

Сергей Михайлович достал телефон, набрал Прохорова.

Разговаривать с Владиславом было скучно. Тамара еще послонялась по дому, потом прилегла на маленький диванчик у одного из окон и незаметно задремала. Проснулась она, когда из кухни послышались приглушенные голоса.

Владислав, потягивая чай, что-то говорил, но Тамара слушать не стала. Рядом стоял Сергей, и она наконец-то сделала то, о чем мечтала все последнее время: бросилась ему на шею. Получилось даже еще лучше, чем она планировала, потому что из глаз сами собой полились обильные слезы. Тамара их не сдерживала, она плакала и всхлипывала как маленькая, а Сережа прижимал ее к себе, гладил по голове и плечам и осторожно успокаивал:

— Не плачь, Томочка. Не плачь. И не бойся ничего, я сумею тебя защитить.

Ей совсем не хотелось успокаиваться. Она плакала отчаянно, с удовольствием, она даже не знала, что умеет так плакать. Впрочем, она не знала, что вообще умеет плакать, потому что не плакала с самого детства.

Сережа гладил ее по волосам, и слезы текли не переставая. Оттого, что она очень испугалась, увидев Филина в собственном доме. Оттого, что Костя не впустил ее в дом, а Лина, наоборот, впустила. Оттого, что она целовалась с Костей восемь лет назад, а Линка сделала вид, что ничего такого не было.

Успокоилась Тамара, только когда Владислав принялся совать ей стакан воды, а Сережа стал усаживать ее на стул. Вообще, Владислав ей мешал, без него было бы лучше, жаль, что он, судя по всему, не собирается никуда убираться.

— Не плачь, Томочка, — повторял Сережа. — Не плачь, все будет хорошо.

Тамара еще повсхлипывала и перестала, высморкалась в чистый Сережин платок, который он сунул ей в руку, и затихла. Сергей смотрел на нее так, как надо: немного с жалостью, немного с испугом, немного с нежностью. А чего еще-то желать от первого раза?

Она не стала дожидаться вопросов, опять повторила, как узнала про заводские страсти, как сбежала от Филина и как терпеливо ждала его, Сережу.

— Спасибо, Томочка. Я отныне навсегда перед тобой в долгу, — серьезно прокомментировал Овсянников. Тамара небрежно махнула рукой — ерунда какая, и тут он добавил совсем лишнее: — А где Лина?

— На заводе, — опередила Тамара пытавшегося что-то сказать Владислава. — В гостинице. С Павлом, это ее парень.

Про «парня» она сказала специально, на всякий случай. Пусть знает: Лина занята, а она свободна. А еще пусть знает, что у Линки есть «парень», хоть она и замужем.

— Они устроились в гостинице, — подтвердил Владислав. Стало быть, Лина или Павел ему звонили, отметила Тамара. — Я охрану предупредил, чтобы в оба смотрели.

— Откуда он взялся, этот Павел?

— Там все чисто. — Владислав свое дело знал. — Тропинин Павел Владиславович. Его парни сигнализацию на заводе поставили. Договор еще несколько месяцев назад заключался, он не при делах.

— А к вам в компанию-то он как попал? — внимательно посмотрел на Тамару Сережа.

— В Лину влюбился, — усмехнулась она.

— Ладно, разберемся, — наконец он перестал спрашивать про Линку. — Ты устраивайся, где хочешь, Томочка. Придется поскучать несколько дней.

Тамара согласно кивнула.

Она не станет скучать, если рядом будет он.

Столовая действительно оказалась хорошей, мясо сочным и мягким, картошка в меру поджаренной. Лина допивала сок и мучилась, как теперь сказать Павлу, что она совсем не против остаться здесь до завтра. «Существовать» с ним в машине было глупо, а беспокоить и волновать старого Николая Ивановича ни к чему. Ну, а самое главное, ей не хотелось расставаться с Павлом. Не хотелось, и все. Не то чтобы она строила какие-то планы, наоборот, понимала, что никакого продолжения у них в Москве не будет. С какой стати? Он просто помог им с Тамарой. Не мог не помочь, потому что ответственный и порядочный человек.

Столовая совсем опустела. Лина поставила пустой стакан на пластмассовый поднос, туда же отправила грязные тарелки.

— Лина, — остановил ее Тропинин. Он тоже сложил посуду на поднос. — Что тебя напугало?

Она потрясла головой — ничего.

— Ты что-нибудь увидела? Подозрительное?

— Нет. Так... неприятные воспоминания. Извини. Не знаю, что на меня нашло.

Лина виновато улыбнулась, она словно отогревалась около него. Отогревалась с той минуты, когда он пошел провожать ее от речки до дома. Как будто когда-то давно, увидев Костю с Тамарой, она замерзла на долгие годы и почему-то этого не замечала, а теперь поняла.

— Сегодня уже не сможешь, а завтра тебе лучше всего уехать. Если я успею подписать бумаги, давай вместе поедем. А если нет, уезжай одна, Лина. — Они поставили подносы с грязной посудой на тележку, улыбнулись на прощание девушке за кассой и вышли на залитый солнцем заводской двор.

— Я не хочу уезжать. — Лина обвела взглядом пыльную площадку — посидеть было негде.

— Пойдем в холл, — предложил Тропинин. — Там хоть кондиционер есть.

— Я не хочу уезжать, — повторила Лина. — Я так давно стремилась сюда приехать.

Она долго пыталась уговорить Стаса провести здесь отпуск или хотя бы несколько дней, он не соглашался, конечно. Что ему за радость торчать в какой-то глуши? Сначала он просто не принимал всерьез ее предложения, а потом стал обижаться, каждая обида перерастала в крупную ссору с его криком и ее слезами, и она перестала предлагать.

Тропинину очень хотелось спросить, что мешало ей приехать, но он не спросил и похвалил себя за тактичность.

— Понимаешь, я здесь выросла. Я соскучилась по людям, вообще по городу. Я толком даже ни с кем и не поговорила.

— Понимаю. Но здесь опасно. По-настоящему опасно. — Он открыл дверь в холл, пропустил ее вперед, вежливо дождался, пока она сядет в кресло, и уселся напротив.

— Ладно, — решила Лина. — Подождем до завтра, там видно будет.

Что он станет делать, когда она уедет? Он же тут от тоски помрет.

— Ты Тамару давно знаешь? — все-таки полюбопытствовал он. Что-то в подругах его смущало, очень уж они были разные, бойкая Тамара и немногословная Лина.

— Давно, — улыбнулась Лина. — Всю жизнь. Мы росли вместе.

— И... с Костей тоже? — Он чувствовал — с этим парнем ее что-то связывало помимо детской дружбы, был не уверен, хочется ли ему знать, что именно.

— Да. И с Костей тоже. У меня здесь осталось два по-настоящему близких человека, — призналась Лина. — Николай Иванович, это наш сосед, они с бабушкой очень дружили. И Антонина Ивановна. Бабушка с ней работала вместе. В библиотеке.

Она осторожно на него покосилась, Павел слушал внимательно. Стас терпеть не мог, когда она начинала рассказывать про бабушку, про ее соседей и подруг. У него сразу становился отсутствующий взгляд, и Лина замолкала.

— Бабушка давно умерла?

— Давно. Восьмой год. Ничем не болела, а... умерла.

— Сердце?

— Угу, — кивнула Лина и задумалась. — И фотоаппарат пропал...

— Какой фотоаппарат?

— Мой. Я привезла его и забыла здесь. Теперь найти не могу. Никогда ничего не пропадало, а его найти не могу.

— Дорогой? — Он видел, что пропажа фотоаппарата ее отчего-то очень волнует.

— Не в этом дело. Просто... странно это. Родители тут и ноутбук оставляют, и все, и никогда ничего не пропадало.

— Там что, снимки ценные?

— Пожалуй, да, — решила Лина. — Ценные. Там наши с бабушкой последние фотографии.

— Может, найдется еще, — утешил ее Тропинин.

Она сидела совсем рядом и поглядывала на него иногда, как это принято при обычном разговоре, но сейчас ее глаза не казались такими ослепительно синими, скорее, серыми, и ему очень хотелось близко в них заглянуть и вновь увидеть небывалую синеву.

У окна пришлось просидеть недолго, часа два. Устроился Филин удобно, развалился на мягком бабкином стуле, вытянул ноги. Еще бы наушники в уши, и не работа была бы, а настоящий отдых, но наушников он позволить себе не мог, музыка его отвлекала. Все произошло, как он и предполагал: мужик с хвостиком пробежал по двору, открылись ворота, почти сразу во двор въехали пыльные «Жигули», и больше Филин не увидел ничего. Там, во дворе кирпичного особняка, были не дураки, под случайный выстрел не подставились.

Впрочем, стрелять сейчас Филину было не из чего, винтовку он держал в надежном месте, не здесь и не в машине. Можно уходить, теперь он знает, что «объект» прибыл, но Филин медлил, разглядывал дом напротив и не сразу себе признался, что надеется увидеть Томку.

Казалось бы, все должно быть как раз наоборот, ничего, кроме злости, темноглазая Тамара не могла у него вызывать, все-таки провела его как пацаненка, а вызывала совсем другое, неуместное чувство.

Чем яснее Филин понимал, что его по-глупому тянет к Тамаре, тем больше злился на ту, другую бабу. Подружку. Как будто подружка была виновата во всей этой нелепой ситуации.

Филин спустился в зеленый дворик, подмигнул хозяйке, копошащейся под окнами с какими-то цветочками, вышел кривыми улочками к речке, посидел на берегу. К вечеру от воды потянуло свежестью, терпко пахла трава, он уже забыл, как хорошо пахнет русское разнотравье. Он давно отдыхал только за границей, и не потому, что ему это очень нравилось, просто ему было все равно, где изнывать от безделья, а купить путевку за границу было проще всего.

Бабу для отдыха Филин присматривал незадолго до поездки. Требования у него были нехитрые: чтобы не уродина и не ослепительная красавица, чтобы умом не блистала и не видела в нем своего единственного. Совсем некрасивых девок Филин не любил, он их и за баб-то не считал, а настоящие красавицы привлекают всеобщее внимание, ни к чему ему это. Второе условие он соблюдал исходя из требований безопасности: умная женщина могла заметить что-то совсем ей не предназначающееся и создать ему дополнительные трудности. Третье же условие, вообще говоря, являлось необязательным — по доброте душевной не хотел Филин, чтобы девка к нему привязалась и переживала попусту, потому бабы эти и были одноразовые, никаких долгих отношений он не хотел и не мог себе позволить.

Филин посмотрел на часы, пружинисто встал и с удовольствием пошел по берегу, чувствуя себя в отличной форме. Еще оставалось время, он вернулся в город, поужинал в приглянувшемся ресторанчике, придирчиво изучая меню, пошутил с шустрой официанткой.

К дому Серебрякова Николая Ивановича, семидесяти четырех лет, владельца семилетней «Нивы» и знакомого Томкиной подружки, Филин подошел, когда совсем стемнело. Пошаркал ногами, стоя у забора, тихо кашлянул, опасался, что у старика есть собака. Тишину ничто не нарушило, окна дома мирно чернели. Филин выждал пятнадцать минут и легко перемахнул через забор.

К вечеру Влад привез из питомника двух здоровенных ротвейлеров и парня-кинолога. Кинолог что-то пошептал собакам, договорился с Сергеем, что заберет их утром часов в семь, и отбыл. Почти сразу ушел и Влад. Мог бы и остаться, они собирались ночью дежурить по очереди, но Влад отоспаться перед ночным дежурством предпочитал дома.

Ротвейлеры — красота и мощь, живые танки, лениво бродили по двору. Тамара, свернувшись калачиком на одном из диванов, играла в какую-то компьютерную игру на его ноутбуке, старалась быть незаметной, но мешала ему ужасно. Сергей давно привык жить один и в присутствии чужого человека чувствовал себя некомфортно. К тому же он не забывал, что она рисковала ради него жизнью в буквальном смысле слова, и очень стыдился собственного дискомфорта.

Ему пришлось сделать много звонков, кого-то предупредить, кого-то проинструктировать, и на какое-то время он о Тамаре почти забыл. Сергею уже давно казалось, что беспросветный ужас девяностых остался в далеком прошлом, что сейчас все «вопросы» решаются более-менее цивилизованно. Без киллеров, во всяком случае. Раньше он истово спорил об этом с Полиной Васильевной. Та утверждала, что беззаконие ничего, кроме беззакония, породить не может, и что без кардинальной смены власти нормальной жизни в стране не будет. А он возмущался непрошибаемой упертостью соседки, он и тогда и еще вчера был уверен, что жизнь, пусть худо-бедно, но нормализуется.

Права оказалась Полина Васильевна, жаль, что он не может ей об этом сказать.

Тамара тихонько прошла на кухню, пошуршала, чем-то постукала.

— Сережа, — негромко крикнула она. — Иди ужинать.

Ужин она соорудила какой смогла. Получилось неплохо. Пельмени не сварила, а обжарила до красивой корочки. Аккуратно уложила фаршированные красной икрой яйца, повезло, что в холодильнике отыскалась банка с икрой. И стол сервировала красиво, отыскала среди разномастных тарелок одинаковые.

— Ух ты, — ахнул Сергей. — Вот спасибо. Есть-то как хочется.

Есть ему действительно захотелось сразу и сильно, до этого он и не помнил, что со вчерашнего дня практически ничего не ел.

— Садись, — засмеялась Тамара. Сюда бы еще бутылочку вина, она видела в баре и вино, и водку, и коньяк, но предлагать не стала. Пусть сам предложит.

— Надо же, — удивился он. — Я не знал, что пельмени можно жарить. Сама придумала?

— Научили. Сереж, а собаки на нас не нападут, если из дома выйти? — Тамара щедро наполнила ему тарелку, потом себе.

— Не должны. — Он с удовольствием принялся за еду. — Но лучше не выходить. Поскучай вечерок, завтра я тебя в дом отдыха отправлю. Мы бывший пионерский лагерь в дом отдыха превратили, там теперь все в лучшем виде. И сауна, и фитнес всякий, и процедуры. Туда из Москвы даже приезжают. И стоит на берегу реки. Накупаешься, позагораешь.

— Ты что? — обомлела Тамара. — Спятил? На кой черт мне фитнес? Считаешь, мне худеть надо?

— Не считаю, — засмеялся он и, протянув руку, потрепал ее по волосам. — Считаю, что твою фигуру улучшать — только портить.

— Ну тогда и не говори мне ни про какой дом отдыха. Что я там делать буду? От скуки загибаться?

— Томочка. — Он сразу стал серьезным и смотрел на нее виновато. — Тебе опасно со мной рядом находиться. Очень опасно. И действовать я смогу, только когда ты будешь в безопасности. Ты же это понимаешь.

— Ничего я не понимаю, — отрезала Тамара. — И понимать не хочу. И никуда я от тебя не уеду. Мне без тебя... страшно.

И только произнеся это, сообразила, что сказала правду. Ей было очень страшно все последнее время, а рядом с ним — нет. Рядом с ним она не боялась ни киллера, ни кого-то другого. Она ничего не боялась.

Он еще ее поуговаривал, но уже понял, что это бесполезно.

Она сильно связывала ему руки.

Но было что-то еще. Он почувствовал, что действительно ей нужен. Не его деньги, не его должность. Он сам, Сергей Овсянников.

— Ну ладно, — сдался он наконец. — Оставайся. Только из дома ни ногой. И делать будешь только то, что я скажу.

— Угу, — согласилась Тамара. Она бы всю жизнь делала только то, что он скажет.

— Нужно и Лину сюда перетащить, — решил Овсянников. — Тома, а как Павел с вами оказался?

Только Линки ей здесь не хватало.

— Лина с ним в поезде познакомилась. Потом на улице случайно встретилась. А может, не случайно. Он за ней ухаживает.

— Она же замужем. — Сергей отнес пустую тарелку в мойку, подумал и, открыв кран, потер ее под струей воды. — Или нет?

— Ну... — усмехнулась Тамара. — Говорит, что замужем. Только почему-то мужа ни разу сюда не привозила. Не мой посуду, я потом все вымою.

Хорошо, что Линка связалась с Павлом. Сначала Тамара завидовала, за ней самой пытаются ухаживать только такие попутчики, от которых не знаешь как отделаться. Завидовала, а теперь поняла, что это очень хорошо. Пусть Сережа знает, что Линка мужу рога наставляет.

Как ни странно, Лину Сергей вспоминал часто. Вообще-то до соседской детворы дела ему никакого не было, просто Лина очень походила на мать и бабку, а их обеих Сергей считал эталоном красоты. В юности он об этом не задумывался, уже потом понял, когда начал обращать внимание на девушек. Взгляд останавливался только на тех, кто был хоть чем-то похож на соседских женщин.

Тамара вымыла грязные тарелки, потом они долго пили чай, потом она устроилась на приглянувшемся диване, а он, потушив везде свет, заступил на дежурство. Почему-то больше Тамара ему не мешала.

Николай Иванович понимал — он не заснет. Ругать себя, что не выспросил, не заставил Лину признаться, какие у нее проблемы, он стал сразу, как только она уехала. Сначала гнал от себя тревожные мысли — Лина давно уже взрослая, а разумностью отличалась еще в детстве. Возился на участке, вечером полил грядки, но, собирая нехитрый ужин, твердо решил завтра Лину разыскать. Перерыть весь Полинин дом, найти номер Лининого мобильного — где-нибудь да должен быть записан, и разыскать девчонку во что бы то ни стало.

На Лину он не то чтобы обиделся, а как-то затосковал, когда она приехала не позвонив — он бы ее встретил, и дом бабушкин к ее приезду прибрал, — и к нему пришла не сразу. В детстве она к нему бежала с поезда. Он за собой знал, что человек он не слишком ласковый, но почему-то ему казалось, что Лина знает, как он ее любит. Собственно, она второй человек после Полины, кого он считал по-настоящему родным. Лену, Линину мать, он тоже любил и чужой не считал, но и дочерью собственной не признавал, а Лину почему-то считал внучкой. Маленькой она ходила за ним хвостом, путалась под ногами, мешала, а когда уезжала в Москву, ему сразу становилось пусто, и он начинал ждать ее приезда.

Он восемь лет ждал, когда она приедет, а узнал об этом случайно, от посторонних людей.

Николай Иванович вымыл посуду, посмотрел вечерние новости, потом просто попереключал каналы, как обычно удивляясь скуке и примитивности вечерних передач, и включил ноутбук.

Компьютер он купил пять лет назад, поддавшись на Ленины уговоры. Лето тогда стояло холодное, не как теперешнее, а он только-только вышел на пенсию и изнывал от скуки, глядя на рядивший за окном дождь. Лена начала его уговаривать приобрести компьютер, как только приехала в отпуск, а уговорила, когда уже пора было уезжать. Наспех научила включать-выключать, пользоваться текстовым редактором и Интернетом. С тех пор ноутбук стал для него первейшей необходимостью.

Главное — он получил возможность читать. Читать он любил с детства, а библиотеки так и не собрал. Зачем ему покупать книги, если Полина приносила из библиотеки все, что могло его заинтересовать. Правда, после ее смерти он жалел, что в доме мало книг, а заставить себя пойти в городскую библиотеку, где больше нет Полины, так и не смог.

Теперь благодаря Интернету проблем с чтением у Николая Ивановича не было. Он, как обычно, просмотрел новости, потом новинки в интернет-библиотеке, и когда выключил наконец ноутбук, в комнате и на улице стояла настоящая темень. Почему он не включил свет, пробираясь по темному дому к крыльцу, чтобы покурить, он и сам не знал. Опасность он почувствовал, открывая входную дверь.

Машины во дворе старика Серебрякова не оказалось. Гараж-мастерская содержался в отменном порядке, инструменты располагались продуманно и удобно, пол чистый, никаких масляных пятен, словно дедок специально прибрался. Наличие автосредства выдавали только аккуратно сложенные колеса и запчасти да свободное место в центре деревянного строения.

Могли девчонки попросить у старика машину, вполне могли. И сейчас она должна быть у подружки.

Филин выбрался во двор, прикрыл за собой дверь гаража. Задумался, не узнать ли у старика, где соседка-беглянка. В том, что добыть сведения сможет, Филин не сомневался, у него есть опыт добывать показания, да еще какой. Здоровые мужики раскалывались.

Правильнее всего было плюнуть на девок, убрать Овсянникова и вернуться к своей обычной жизни. Менты и без девок могут догадаться, что Овсянников — его работа, и с девками ничего доказать не смогут. И все-таки девиц нужно контролировать, в его деле пускать на самотек нельзя ничего. В конце концов, подружка может оказаться связанной с кем-то, кто никак не должен знать о его, Филина, причастности к этому делу. Он вполне допускал, что у его нанимателей есть не менее мощные противники, опасаться которых следует гораздо больше, чем ментов.

Филин с удовольствием вдохнул прохладный ночной воздух. Хорошее лето стоит в этом году. Замечательное. Лучше, чем на любом курорте.

До дома было метров пятнадцать. Филин еще постоял, уже понимая, что со стариком придется побеседовать.

Тамара проснулась с тягостным противным чувством. Ей снилось что-то неприятное, страшное, сон она сразу забыла, а осадок остался. Поворочалась на неудобном диване и поняла, что больше не заснет.

Тишина стояла абсолютная, тревожная. Тамара на ощупь натянула юбку, неожиданно подумав, что, будь на месте Сережи Филин, могла бы выйти в одной футболке. Футболка длинная, до середины бедер. Чужого и страшного Филина Тамара совсем не стеснялась. А выйти в футболке к Сереже казалось немыслимым, хотя ей было что показать.

Он сидел за компьютером на кухне, и она обрадовалась, что не придется коротать ночь одной.

— Ты чего не спишь? — шепотом спросила Тамара.

— Дежурю, — засмеялся Сергей, откинувшись в компьютерном кресле.

— А собаки? — удивилась Тамара. — Думаешь, они чужого пропустят?

— Береженого бог бережет. — Сергей с удовольствием потянулся, он устал пялиться в экран, смотреть на Тамару было гораздо приятнее, даже в слабом свете монитора. — А ты чего не спишь?

— Не знаю. Не спится. С тобой посижу. Свет зажжем?

— Лучше не надо, — предостерег он. — Давай проявим осторожность. Может, чай сделать?

— Как хочешь. Могу с тобой за компанию выпить, могу так посидеть.

Он потянулся к стоящему на столе у стены электрическому чайнику, взвесил его рукой, решил, что воды достаточно, и щелкнул выключателем.

— Жалко, Лина не захотела меня здесь дождаться. — Он посмотрел на плотно задернутую занавеску. — Были бы обе у меня под присмотром. А так получилась только лишняя головная боль.

— Да какое ей дело до твоей головной боли, — возмутилась Тамара. Не хватало ей еще бесконечных разговоров про Линку. — Ей с дружком веселее, чем с нами.

Сергею очень хотелось расспросить про Лину. Он совсем не думал и не вспоминал о ней много лет, а сейчас жалел, что не может взглянуть на молодую соседку. Раньше она очень походила на Лену, свою мать, а в Лену маленький Сережа когда-то по-детски влюбился. Она была самой красивой девушкой из всех, кого он знал, красивее артисток в кино. Ни у одной артистки он не видел таких синих глаз, такой нежной и ласковой улыбки. Когда-то Лена казалась ему сказочной принцессой, он долго скучал, когда она уехала учиться в Москву. Очень скоро Лена стала приезжать с мужем, потом у нее родилась Лина, и взрослеющий Сережа совсем забыл о своей былой влюбленности.

Наверное, если бы Лина приехала с мужем или, по крайней мере, не завела здесь «дружка», ее появление не вызвало бы у него никакого интереса. Весь стиль жизни Полины Васильевны, вся ее жизненная позиция настолько не допускали появления «дружков» при живом муже, что не проявить интереса к ее внучке Сергей просто не мог. Полина Васильевна была женщиной редкой честности и порядочности, а у внучки — «дружок». Забавно.

— Я не представляю, — не выдержала Тамара, хоть и не хотела говорить о подружке. — Ну как можно так открыто изменять мужу?

— А закрыто можно? — засмеялся Сергей.

— И закрыто нельзя, но... — Тамара посмотрела на него и тоже засмеялась: — Закрыто все-таки приличнее.

Она чуть не ляпнула, что сама бы ни за что мужу не изменила, особенно такому, как Сережа, но вовремя сдержалась. Так примитивно действовать с ним нельзя, он же не безмозглый и напыщенный Иван.

— Ты-то замуж не собираешься? — Щелкнул чайник, Сергей, пошарив на одной из полок, достал чашки, бросил в каждую по пакетику и залил кипятком.

— Так ведь не за кого, — развела руками Тамара. — Мужики пошли... Не мужики, а не поймешь кто, детки великовозрастные. Ты вот последний остался.

— Ну так уж и последний, — усмехнулся он.

— Угу, — серьезно кивнула Тамара. — Кроме тебя мужиков не знаю. Остальные — бабы в штанах.

— Иди спать, Томочка. — Он осторожно погладил ее по руке, когда она поставила на стол пустую чашку.

— Не пойду, — покачала головой она. — Не пойду. Мне без тебя страшно.

На самом деле, в этом доме она ничего не боялась и спать ей хотелось, но не упустить возможности посидеть с ним при слабом лунном свете хотелось гораздо больше.

Николай Иванович медленно прикрыл дверь и шагнул чуть в сторону, за крепкую деревянную стену. Постоял, выравнивая дыхание. Он не то чтобы испугался, скорее, растерялся и разозлился на себя за это. Человек во дворе был не случайным воришкой, не мог он, старый милиционер, не заметить, не почувствовать чужого на своей территории. Не мог. А раз не почувствовал, значит, во дворе профессионал.

Или там, в темноте, никого нет, и ему просто почудилось движение у стены сарая?

Старческие страхи? Он просто беспокоится о Лине и придумывает себе несуществующую опасность?

Ему хотелось верить, что это так, но он не верил. Он верил только собственному чутью.

Ну, Лина, ну, паршивка, злился он, медленно отступая в глубь дома. Попадись мне только... Во что же такое она вляпалась, что теперь ей приходится скрываться, а его машиной интересуется профессионал?

Почему он однозначно связал Линины проблемы с появлением ночного гостя, Николай Иванович и сам не мог бы объяснить, линия «Лина — машина — шорох в темноте» выстроилась сама собой. Шаря на ощупь в темной комнате, он боялся только одного: что не успеет, не сможет одолеть непрошеного гостя и защитить Лину.

Он никогда не считал себя несчастным человеком. С какой стати? Семьи он не создал, это верно, зато в его жизни была работа, людская благодарность, были женщины, которых он, может быть, и не безумно любил, но которым искренне радовался. И главная — Полина.

Полина была рядом, сколько он себя помнил. Из детства он всегда отчетливо вспоминал яркое зимнее солнце, санки на крутом спуске к реке, долгие зимние вечера с книжкой под оранжевым абажуром и девочку с розовым бантом в кудрявых волосах. Сейчас ему казалось, что она всегда была для него как сестра. На самом деле, конечно, это не так, он помнил свое отчаянье, когда она вышла замуж.

Он собирался стать летчиком, тогда все мальчишки мечтали летать. Он поступил в летное училище, Полина уехала учиться в Москву, и он почти о ней не вспоминал, только почему-то думал, что когда-нибудь она обязательно станет его женой.

Он приехал домой в отпуск и сразу помчался к Полине, ему казалось, что она очень ему обрадовалась, и тогда он выпалил совершенно неожиданно для себя:

— Поля, выходи за меня замуж.

— Коленька, — смутилась Поля. — Спасибо, но... У меня есть жених в Москве.

Ему показалось, что он ослышался. Этого не могло быть.

Он помнил, как долго шел по берегу реки и все жалел, что не сказал ей раньше, чтобы его ждала. Он не сказал, и она не стала ждать.

Он бы уехал сразу, но нужно было помочь матери по хозяйству, и он окучивал картошку, чинил крыльцо, а потом стал латать текущую крышу. С крыши он и упал столь неудачно, что сложный перелом ноги сразу уничтожил его детскую мечту о небе. Он тогда об этом не жалел, ему было все равно. Его взяли в милицию, и он стал милиционером.

Это уже потом он понял, что его грязная изматывающая работа есть смысл всей его жизни.

А сломанная нога изредка напоминала о себе тупой внезапной болью. И всегда не вовремя, вот и сейчас заболела.

Николай Иванович, выдвинув ящик старого комода, нашарил пистолет.

Владислав появился в час, как договаривались, с точностью короля. Тамара к этому времени вовсю клевала носом, Сергей уговаривал ее пойти спать, но она мужественно сидела рядом, глядя на него сияющими глазами, отчего он чувствовал себя ужасно неловко.

Владислав устроился за столом, Тамара наконец легла и затихла. Сергей тоже лег, но сон не шел.

Вообще-то Тамара всегда ему нравилась, он любил людей легких и неунывающих. Кроме того, она по-настоящему красива, а красивых женщин Сергей не пропускал. Не нравилось ему только одно — она смотрела на него с обожанием.

К сорока годам к повышенному вниманию женщин он привык. И денег у него хватало, и мышцы по-прежнему были упругими, даже живот, который в последнее время стал больше, чем этого хотелось, совсем не выглядел уродливым. Сережа и в молодости не страдал от отсутствия девичьего внимания, сейчас же стал на редкость завидным женихом и отлично это понимал.

Иногда ему приходила в голову мысль, что пора жениться, но надолго эта мысль в сознании не застревала. Может быть, оттого, что не находилось подходящей кандидатуры на роль жены, а может, еще почему-то.

Впрочем, нет, когда он жил с Ириной, мысль эта в голову ему приходила, правда, очень недолго. Ира была единственной женщиной, с которой Сергей жил как с женой, она хозяйничала в его доме, ждала его с работы, и ей принадлежало все его свободное время. Очень недолго ему казалось, что он нашел свою избранницу, он вместе с Ирой смотрел каталоги мебели — в доме тогда еще почти ничего не было, покупал в Москве шторы и посуду, а однажды даже пошел на выставку цветов, представляя себе будущий ухоженный участок.

Очень скоро ему надоело размышлять над оттенком мебели, на цветы он, как и раньше, перестал обращать внимание, а больше всего хотел тишины после суматошных рабочих дней. Ира была тактичной и умной, она не пропустила изменений в его настроении, перестала включать телевизор по вечерам, Сергей был ей очень благодарен, но не мог изменить главного — ему было с ней смертельно скучно. Расстались они вполне мирно и по ее инициативе, конечно. Ему бы не пришло в голову выгнать ее из дома. Он только трусливо спрятался за ее «ты очень изменился, Сережа» и предоставил все решать ей. Она сначала переехала к матери, а потом совсем уехала из города, и он до сих пор чувствовал себя виноватым.

Отца Сергей почти не помнил, тот уехал куда-то на заработки, когда сыну было всего пять лет, первое время присылал деньги, а потом перестал, навсегда и полностью исчезнув из их с матерью жизни. Поэтому настоящей семьи Сергей не знал. Настоящей семьей ему всегда казалась соседская. В доме Полины Васильевны встречались разбросанные вещи, чего в доме матери не было никогда, и пироги Полина Васильевна пекла нечасто, и участок Иван Ильич не содержал в безукоризненном порядке, как другие, но присутствовало в их доме что-то такое, что ясно объясняло — здесь живут родные близкие люди. Люди, прощающие друг другу слабости и абсолютно друг другу доверяющие.

— Иван, а хлеб? — спрашивала Полина Васильевна мужа, приносящего из магазина сумки с продуктами.

— Забыл, Поленька, — сокрушался Иван Ильич. — Чайку попью и схожу.

— Обойдемся, — решала Полина Васильевна. — Сейчас блинов нажарю.

Мать всегда обижалась, если Сережа забывал что-то купить.

— Тебе ни до чего дела нет, — зло выговаривала она. — Тебе на все наплевать. Я колочусь, колочусь, а тебе хоть бы что...

Она говорила и говорила, накручивая себя. В такие моменты Сереже становилось ее отчаянно жалко. Совсем маленький, он даже начинал плакать, не оттого, что мама ругается, а оттого, что она такая несчастная. Он вообще всегда очень жалел мать, сколько себя помнил.

Он и Иру очень жалел. И красавицу Тамару, весь вечер не сводящую с него глаз.

Он не представлял себе жизни ни с той, ни с другой.

С матерью ему тоже было очень тяжело. Не раньше, теперь. После того страшного, что случилось восемь лет назад.

Выстрел раздался неожиданно, Филин не слышал даже малейшего шороха. Он скорее почувствовал, чем увидел, как над головой пуля оторвала от стены сарая небольшую щепку.

Времени на размышления не было. Филин нырнул за угол сарая, перекатился к забору, перемахнул через высокий штакетник и легко пробежал по узкой дорожке между участками. Его никто не преследовал, никто даже не выскочил на грохот выстрела, то ли соседи такие пугливые, то ли к выстрелам привыкли. Впрочем, последнее маловероятно, городок казался на редкость тихим.

Недооценил он старика. Филин сокрушенно покачал головой, усаживаясь на удобное сиденье «Тойоты». Прокол за проколом, сначала Томка, потом старик. Как ни странно, неожиданный поворот его не столько разозлил, сколько позабавил. Он не сомневался, что, добравшись до оружия, справится с десятком таких стариков и работу свою выполнит несмотря ни на что, но не оценить чужого мастерства не мог. Молодец старикан, даже его, Филина, чуть не зацепил. А он спец очень высокого уровня. Очень.

Выбираясь из города мимо серого заводского забора, он наконец осознал, что его по-настоящему смущало в этом деле, смущало с тех самых пор, когда он появился в этом забытом богом месте, — ненужность его, Филина, работы. Он занимался своим делом давно, получал отличные деньги за него, и к нему относился именно как к работе — к хорошо оплачиваемым продуманным действиям, требующим определенных знаний, решительности, ума и даже таланта. Но было и нечто другое. Люди, которых Филину приходилось убирать, в какой-то момент своей жизни осознанно ступали на дорогу, которая в конце концов и приводила их к встрече с ним. Если честно, дрянь были людишки, никого не жалко. Бандиты.

Лет десять назад он убирал бандитов, которые не стремились казаться лучше, чем они есть. Они убивали, били, отнимали и не умели связно произнести больше десяти слов. Потом пошли бандиты другие. Эти тоже убивали, били и отнимали, но при этом ухитрялись иметь вполне респектабельный вид и даже гладко говорить. Эти были ему еще более противны.

Овсянников от привычных бандитов чем-то отличался. Это Филин заметил, еще наводя предварительные справки. На Овсянникове нет никакой крови. Поговаривали о каком-то Ковше, но твердой уверенности ни у кого не было. Но дело даже не в этом. Этот захолустный городишко здорово отличался от многих таких же, затерянных на бескрайних русских просторах. Не то чтобы жизнь здесь безопасная и сытая, как в какой-нибудь Америке, но и беспросветной ее нельзя назвать благодаря умению и совести Сергея Михайловича. И Филину было жалко ни в чем не повинных людей, которые еще не знают, что скоро останутся без работы, без участков земли, которые каждый горожанин может взять в аренду, без дешевого кинотеатра и библиотеки. Новым хозяевам — Филин в этом не сомневался — будет не до завода, не до земельных участков и не до досуга граждан. Без Овсянникова производство заглохнет само собой, потому что наладить производство в нашей печальной реальности под силу только единицам, а второго Овсянникова город едва ли получит. На ничейной земле вырастут коттеджные поселки, а вместо библиотеки какой-нибудь новый хозяин откроет сауну. Или массажный салон. Грустно.

Выехав из города, он эти мысли отогнал. Остановил машину, почти съехав в придорожную канаву, и тупо уставился в переднее окно, в темноту. Около заводской проходной стояла машина, и Филин мог бы поклясться, что это «Нива» прыткого старичка.

Могла девчонка спрятаться на территории завода? Вполне могла. И сейчас должна чувствовать себя в полной безопасности. Филин побарабанил пальцами по рулю. Проникнуть за огражде-

213

ние завода не проблема, ребенок справится. Филин посидел, тупо глядя в черноту ночи, вдохнул ароматный воздух и медленно вернул машину на асфальтовую полосу.

Сон не шел. Лина вертелась с боку на бок и наконец уставилась в плохо видный в темноте потолок. Мысли в голове путались, и все они навевали тревожную тоску.

Стас не звонил больше суток. Разозлился и обиделся, это понятно. Но... вдруг с ним что-то случилось? Он живой человек, может заболеть, попасть в аварию. Желание позвонить мужу стало нестерпимым. Она знала, что не станет этого делать — звонить после того, что она ему сказала, глупо и даже непорядочно. И все-таки до боли хотелось знать, что с ним все в порядке.

Было бы совсем хорошо, если бы там, в Америке, нашлась девушка, с которой Стасу гораздо лучше, чем с ней, Линой. Или пусть девушка появится здесь, будет ждать Стаса, радоваться ему и принимать его проблемы ближе, чем свои.

У Лины никогда так не получалось. Стас жаловался на начальство, на частые командировки, он хотел, чтобы она его жалела, а она только скупо выражала сочувствие, и то не всегда. Жалеют слабых, а в ее представлении мужчина должен быть сильным и больше никаким. Отсюда, собственно, и все их беды. Ему нужна женщина с ярко выраженной материнской жилкой, а у Лины такой жилки нет. Он никогда не переходил бы на крик, если бы она пугалась, когда он порежется, или простудится, или пожалуется на головную боль. Она в лучшем случае не морщилась от его робких жалоб. Наверное, потому что не любила.

Или все-таки любила? Лина знала точно, что не сможет быть счастливой, если Стасу будет плохо.

Или просто за прошедшие годы они навсегда стали близкими, несмотря на все ссоры, взаимные обиды и полное непонимание?

Она вспомнила, как совсем недавно разводилась ее институтская подруга Лиза. Бывшие супруги до рубля делили «совместно нажитое имущество», которое почти до рубля же было куплено их родителями.

Слава богу, им со Стасом такое не грозит. Не потому что нет нажитого имущества, а потому что они все-таки другие. Стас не станет ругаться из-за сковородки. И она не станет.

Интересно, как разводился Павел? Тоже судился с женой из-за имущества? Ей очень не хотелось в это верить.

Впрочем, какая ей разница. У него в каждом городе таких, как она, по штуке.

Думать так было неприятно. Лина смотрела в темноту за окном, мысли путались, но заснуть не могла.

Очень хотелось в родной бабушкин дом. Она так долго мечтала об этой поездке, а получилось потерянное лето. Нужно доварить варенье, оставленные сорванные ягоды пропадут по такой жаре. Надо все-таки найти фотоаппарат — она не успокоится, пока не найдет. И просто надышаться родным домашним воздухом.

В ночной темноте телефон заиграл неожиданно громко. Лина схватила засветившийся мобильный и вместо Стаса — она даже не посмотрела на номер, будучи уверена, что это он, — услышала злой мужской голос.

Выстрел получился знатный, Николай Иванович не мог себя не похвалить. Когда-то он считался отменным стрелком, но это было давно. Сначала он собирался выстрелить ночному гостю по ногам, но не рискнул, побоялся уложить насмерть. Целился поверх головы. Скорость, с которой лихой незнакомец исчез, подтвердила — не простой у него был гость, не простой.

Пистолет на место убирать не стал, нацепил кобуру, от которой уже успел отвыкнуть, и по дороге к дому Полины чувствовал придававшую уверенности приятную тяжесть оружия.

Дом Полины он знал не хуже своего, долгие годы в нем все ремонтировалось его руками. Обошел комнаты, с ужасом ожидая увидеть что-то страшное, радуясь, что дом пуст, и понимая: если с Линой что-то случится, он этого не переживет.

Где Полина хранила записную книжку, он не знал, но, потратив несколько минут, как заправский домушник, безошибочно нашел ее в ящике письменного стола.

Номер внучкиного мобильного был записан ровным Полининым почерком. От вида ровных букв защемило сердце, а ему уже давно казалось, что он свыкся со смертью Полины.

Облегчение он почувствовал, только услышав тихое «алло».

— Ты где? — зло спросил он.

— Николай Иванович, вы? — с заминкой спросил испуганный голос.

— Ты где находишься? — Он злился на нее и радовался одновременно. Что бы он делал, если бы она сейчас ему не ответила?

— На заводе. В гостинице. — Она опять запнулась, отвечая. — А что случилось?

— Это я тебя должен спросить, что случилось. Ладно, жди, я сейчас за тобой приду. Ты в каком номере?

— Не знаю. На третьем этаже, слева. Да что произошло?

— Тебе виднее, что произошло. Только сегодня ночью ко мне... наведались.

— Что?! — ахнула Лина. — Кто... наведался?

— Он не представился, — усмехнулся Николай Иванович. — И я ему представляться не стал.

— Николай Иванович, он вам... ничего не сделал?

— Я вот тебе сейчас что-нибудь сделаю, чтобы больше не смела меня за дурака держать. Выпорю, раз уж в детстве тебя не пороли, — выдохнул он. — Я сейчас приду, Линочка. Кроме меня никому дверь не открывай. Сдается мне, что влезла ты во что-то очень нехорошее.

— Может, не стоит ночью ходить? — запоздало забеспокоилась Лина. — Я здесь в безопасности, территория охраняется.

— Угу, охраняется, — кивнул он, словно она могла его видеть. — Ерунду-то не болтай. Вроде умная, образование какое-никакое имеешь. Туда ребенок проникнет, не то что спец. Жди, Лина.

Очень хотелось пить, но он не стал искать воду. Взял на кухонном столе пригоршню сорванных вишен и сжевал по дороге.

Тропинин слышал через стену, что у Лины зазвонил телефон, потом слышал, что она с кем-то разговаривает, и удивился, что сумел почти мгновенно влезть в брошенные рядом на стул джинсы и очутиться у двери ее номера. Слов было не разобрать, но разговаривала она мирно, и он сразу успокоился. Он никогда не думал, что можно так страшно пугаться из-за другого человека. Впрочем, он вообще никогда не предполагал, что может из-за чего-то так испугаться.

Он не знал, что совсем чужой человек может так быстро и незаметно стать необходимым, и даже представить свою дальнейшую жизнь одному, без нее — страшно. Он не понял, как это произошло, да и не раздумывал над этим, просто знал: он не отступится от нее никогда.

К бывшей жене он ничего подобного не испытывал даже в самые лучшие их времена. Он радовался, когда ее видел, скучал, когда они долго не встречались, но твердо знал, что мир вокруг него не изменится от ее присутствия.

От присутствия или отсутствия Лины мир менялся. Это было удивительно и тревожно, но ничего другого он не хотел. Странно, что совсем недавно он радовался спокойствию и размеренности своей личной жизни. В служебной деятельности он тоже хотел бы спокойствия, но понимал, что она была, есть и будет сплошной нервотрепкой, и давно с этим смирился.

Голос за дверью совсем умолк. Тропинин тихо постучал, потом постучал снова и негромко ее позвал.

Он собрался стучать еще раз, когда дверь резко отворилась и Лина уставилась на него синими глазами.

— Ты с кем разговаривала? — бестактно спросил он.

— С Николаем Иванычем, — не удивилась она. — Он сейчас придет.

— Зачем?

— У него что-то случилось. Ну... связанное с нашей историей.

— Ч-черт... А что именно?

— Не поняла.

Тропинин хотел еще что-то спросить, но вместо этого протянул к ней руки и прижал ее к себе. Потом, неожиданно вспомнив, что обниматься через порог — плохая примета, шагнул в номер, чуть-чуть подвинув замершую Лину. Про эту примету он слышал когда-то давно от бабушки. Раньше он никогда не боялся никаких примет.

Ее волосы щекотали лицо, он боялся прижаться к ней щекой, вспомнив, что больше суток не брился. Гулко стучало сердце, и он не мог разобрать, его это сердце или ее.

— Павел. — Лина выбралась из его рук. — Не надо.

— Почему? — спросил он. — Ты любишь своего мужа?

Зря он это спросил. Она сейчас скажет, что любит, и у него ничего не останется, кроме его унылой жизни.

Она молчала, слегка отвернувшись.

— Лина, — пообещал он. — Я буду тебя ждать. Долго. Сколько скажешь. Всю жизнь.

Она не сказала, что любит мужа, и жизнь опять дала ему надежду.

Тропинин прошел в номер, подумал и уселся на стул, повернув его так, чтобы ее видеть.

— Николай Иванович мне не просто сосед, — зачем-то объяснила Лина. — Он очень близкий человек. Я деда совсем не помню, он давно умер. Николай Иваныч у меня вместо деда был.

Больше в номере не нашлось стульев, и она уселась на краешек кровати.

— Представляешь, он, оказывается, к моей бабушке два раза сватался, а я и не знала. — Она задумалась, глядя в темное окно. — Как хорошо, что я все-таки сюда приехала. Жалко только, что скоро уезжать.

— Лина, — зачем-то опять спросил Тропинин. — Ты любишь своего мужа?

— Не знаю, — не сразу ответила она. Теперь она смотрела куда-то в сторону, на стену. — Не надо, Павел.

Ему очень хотелось услышать, что муж для нее ничего не значит. Для него ничего не было важнее; но он смирился.

— А почему ты долго сюда не приезжала?

— Не получалось как-то, — вздохнула Лина. — Стас... Мой муж предпочитал отдыхать за границей. И вообще...

И вообще она не представляла Стаса в этом городке. Это ее город. Ее дом. Только ее.

— А в этом году почему получилось? — Он никак не мог перестать выяснять, что за отношения у нее с мужем.

— Павел! — пресекла вопросы Лина и засмеялась. Она уже научилась понимать, о чем на самом деле он спрашивает. — Перестань. В этом году получилось, и я очень этому рада, вот и все.

Она засмеялась, и ему сразу стало легко. Откуда-то появилась твердая уверенность, что все в их жизни будет хорошо. Не просто хорошо, отлично.

Район завода Николай Иванович не любил. Он вообще не любил пустую заброшенную землю, а здесь были сплошные пустыри, больше напоминающие свалки. Правда, в последнее время пустыри от мусора расчистили, Серега Овсянников постарался. Он оказался хорошим руководителем и хозяином хорошим, не признать этого нельзя, но относился Николай Иванович к нему с опаской. Наверное, потому что всю жизнь делил людей на честных и не слишком, то есть проходимцев. А быть честным на Сережкином теперешнем месте никак невозможно.

Мальчишкой Сергей ему нравился. Сын рос у Клавдии добрый и какой-то... душевный. Чуткий. Сам Николай Иванович до такого определения вряд ли додумался бы, он вообще не слишком задумывался, отчего одни люди ему нравятся, а других сроду бы не видеть. Маленький Сережа очень нравился Полине. Впрочем, ей и взрослый Сергей нравился.

Полина и к Клавдии хорошо относилась. А Николай Иванович ее терпеть не мог.

То есть сначала он к ней был безразличен. Живет и живет соседская девчонка, не слишком большого ума, но и не круглая дура. Как все.

Клавдии было лет шестнадцать, когда Полина насовсем вернулась в город с мужем, молодым инженером. Иван Ильич стал работать на заводе, Полина в библиотеке, а молодой Николай Иванович твердо решил перевестись куда-нибудь подальше, потому что видеть Полину чужой женой ему было тяжело. Не то чтобы он в то время страстно ее желал, нет. У него случались романы, и, в общем-то, он был доволен своей жизнью. Просто он уже тогда понимал, что Полина — его женщина, что она одна нужна ему по-настоящему, с ней одной он может ничего не стесняться и ничего не бояться, и его жизнь пошла по совсем неправильному пути, несмотря на все его романы.

Молоденькую Клаву он увидел рядом с Иваном случайно в магазине, в очереди за хлебом. Клава все придвигалась к высокому Ивану и смотрела на него такими сияющими глазами, что ошибиться в происходящем было невозможно. Иван пытался отодвинуться, но очередь была плотной, и он в конце концов стал боком к Клавдии, поскольку отвернуться от нее ему не позволяло воспитание. Николаю Ивановичу стало жалко дуру-девку.

В другой раз он увидел, как Клавдия прохаживается по дороге, ведущей к заводу, и как раз в то время, когда Иван возвращался домой. На этот раз Николай ее уже не жалел. Полина ждала ребенка, подурнела, и он сочувствовал ей, а не сияющей Клаве.

Но остаться в городе он решил позже, когда Клава, преследуя Ивана, вконец намозолила ему, Николаю, глаза. Он не мог уехать и оставить Полину одну в полной опасностей жизни. Это его женщина, и он обязан о ней заботиться, несмотря на то, в какую сторону уводит его жизнь.

И он остался. Через некоторое время Иван, видимо, что-то объяснил Клаве, потому что больше вместе их Николай не встречал, потом Клава засобиралась замуж, а Николай Иванович так и жил в ста метрах от Полины. На радость себе и на горе.

Только Клавдию он до сих пор не любит.

Проходная оказалась хорошо освещена желтыми фонарями. Николай Иванович замер — его машина с четкими номерами одиноко стояла на асфальтированной стоянке, как раз под фонарем.

Как указатель — мы здесь. Идите сюда — не ошибетесь.

Тоскливо потянуло сердце. Если с Линой что-то случилось, он прожил свою жизнь зря.

Открыть глаза было весело — вовсю светило утреннее солнце, попискивали птицы за окном, снаружи подлетела бестолковая пчела, побилась в закрытое окно. Впрочем, теперь Тамаре весело было бы в любую погоду, когда она планировала, как будет завоевывать Сережу, не догадывалась, что это окажется так радостно.

Легко вскочила с диванчика, потянулась, чувствуя, как губы растягиваются в улыбке, натянула купленные на рынке капри, растрепала руками волосы. Знала, что выглядит отлично.

Почему-то подумала о Филине, но не о том, что он вполне может сейчас за ней охотиться, а о том, что смотрел на нее Филин, несмотря на дикость ситуации, с явным мужским интересом, и, увидев ее сейчас, равнодушным бы не остался.

Сережа с Владиславом завтракали. Завтракали типично по-мужски, жареной картошкой с малосольными огурцами. Тамара подбежала, ухватила пахнущий укропом огурчик, замычала от удовольствия.

Сергей сделал все, как она ожидала: приподнялся, потрепал ее по волосам, ласково улыбнулся:

— Садись, Томочка. Вовремя проснулась, только-только картошку выключил. Или ты чего-то другого хочешь? Можно в ресторан позвонить, привезут.

— Не хочу другого, — засмеялась Тамара. «Другое» из ресторана она будет заказывать потом. Когда станет здесь законной хозяйкой.

Она обязательно ею станет, нужно только твердо в это верить и с умом себя вести. Уж если она завоевала капризного и избалованного Ивана, то и Сергея не упустит.

Вежливый Владислав подвинул ей стул.

— Денек хороший какой! — восхитилась Тамара. Поехать бы сейчас с Сережей на речку, выйти к нему из воды настоящей Венерой.

Фигура у Тамары ничуть не хуже, чем у Венеры. Где-то она прочитала, что греки своих богинь лепили со знатных горожанок. А она, Тамара Ропкина, ничем древним горожанкам не уступает.

Владислав, не поворачивая головы, взглянул в окно, Тамаре показалось, что он усмехнулся. Ну и черт с ним.

— Хороший, — согласился Сережа. — Не надумала в дом отдыха поехать?

— Нет. И больше не предлагай! А ты что делать собираешься?

— Разбираться с проблемами, — улыбнулся он.

Ему нравилось на нее смотреть. Красивая Тамара девушка, по-настоящему красивая.

— А где собачки? — удивилась она, оглядывая в окно пустой двор.

— Увезли, — объяснил Сергей. — Днем они нам не нужны.

— Вечером опять привезут?

— До вечера далеко. Там видно будет. — Ему хотелось разобраться с проблемами сегодня же. Его ждали дела, городские и заводские. И ему очень не хотелось возвращаться в давние годы с мерзкими «разборками».

— До вечера надеешься распутаться с проблемами? — угадала Тамара.

— Надеюсь, — подтвердил он, улыбнувшись.

Красивая девушка Тамара, очень красивая.

Скорее бы в самом деле разобраться с проблемами и наконец остаться одному. Мать навестить.

Он отвернулся от Тамары, посмотрел в окно. Думать о матери было тяжело.

— Так ты куда сейчас, Сережа?

— По делам, Томочка. — Он опять потрепал ее по волосам. — Сиди тихо, Влад за тобой присмотрит.

Вот только Влада ей не хватало.

— Я с тобой.

— Нет, — отрезал он. — Мужскими делами я занимаюсь без женщин.

— Я с тобой, — решительно поднялась Тамара. — И ничего не желаю слышать.

Он мог настоять на своем, конечно. Но ему не хотелось тратить силы на пустые уговоры.

— Ну как знаешь, — без улыбки кивнул Сергей Михайлович. — Только имей в виду, будешь мне мешать, поедешь в дом отдыха, под замок, и безо всякого предупреждения.

Тамара слабости не любила, не выносила ее ни в мужиках, ни в женщинах. Быть слабым — значит заведомо быть неудачником. Проявить слабость — значит позволить кому-то хоть что-то у себя отнять. У человека всегда есть что отнять: деньги, мужа, даже мысли. Она отлично помнила, как плакал пьяными слезами, сидя с матерью на кухне, сосед-инженер, когда какой-то приятель защитил диссертацию на его, соседа, разработках.

В том, что желающие отнять всегда были, есть и будут, Тамара не сомневалась. Люди одинаковы во все времена и при любой власти.

Она не терпела, когда ей указывали, что и как делать. Она все и всегда решала по-своему.

Сейчас ей очень хотелось быть слабой и слушаться Сергея. Нет, не так. Ей хотелось, чтобы он думал, что она слабая.

Вместе с Овсянниковым Тропинин смотрел кадры с системы видеонаблюдения раз, наверное, в сотый. Сначала просматривал один, потом вместе с Николаем Ивановичем, Лининым соседом и «очень близким человеком», затем опять один, а теперь вот вместе с Сергеем Михайловичем.

Черная «Тойота» проехала ночью мимо заводской стены и больше в город не возвращалась.

— Это не значит, что его нет в городе, — задумчиво проговорил здешний мэр, останавливая мышкой видеозапись.

— Конечно, не значит, — согласился Николай Иванович. — Здесь он. Или вот-вот появится.

— А что, — поинтересовался Тропинин, — в город другой дороги нет?

— С той стороны дороги нет, переезд только один. Машину через рельсы не перетащишь. А для мотоцикла или велосипеда тропинок больше чем достаточно, все не перекроем, — объяснил старый милиционер. — Да и машину поменять не проблема.

— Как вы думаете, Николай Иванович, где он объявится? — задумался мэр.

— Здесь, — сразу ответил тот. — Здесь, у завода. Или у твоего дома, но там опаснее. Там посторонние все на виду.

— Да с чего вы взяли, что он здесь появится? — возмутилась Тамара. — Он же за Сережей охотится, зачем его ждать у завода? Сергея нужно у мэрии караулить. Или уж у дома в крайнем случае.

Ей было неуютно на этом «совещании». Ей стало неуютно с той самой минуты, как Овсянников вежливо поздоровался с Линой и Павлом. Вроде бы он на Лину и не смотрел почти, но Тамара чувствовала беспокойство.

Не ко времени приехала подруга. Лучше бы не приезжала.

— Я думаю, он мою машину ночью тут засек, — вздохнул Николай Иванович. — Давайте исходить из этого. Машину засек и догадывается, что девочки здесь.

— Да на фиг мы ему нужны, — опять влезла Тамара. — На кой черт мы ему сдались? Ему нужен Сережа, он наверняка уже где-нибудь в городе его караулит. А мы здесь только время зря теряем.

— Может быть, и так, — неожиданно согласился Николай Иванович. — Ты, Паша, оставайся на заводе. Все время наблюдай за дорогой. Обращай внимание на велосипедистов и пешеходов. А я схожу на станцию, куплю вам, девочки, билеты. Вам отсюда нужно уезжать. Вернетесь, когда все успокоится.

— Ой, да не поеду я никуда, — поморщилась Тамара. — Задолбали уже все.

— Спасибо, Николай Иванович, — вздохнула Лина.

Конечно, ей не хотелось уезжать, она так долго мечтала об этой поездке. Что ей делать в Москве? Сидеть у телевизора и постараться забыть потерянное лето?

Ей очень не хотелось уезжать от Павла. Она бы всю жизнь сидела с ним и разговаривала, и видела, что ему интересно все, о чем она говорит. Она бы ни за что не уехала, но продолжать бессмысленное сидение в крохотной гостинице стало неприлично.

— Не повезло тебе, Лина, — виновато сказал Сергей Михайлович. — В кои-то веки приехала, и так все... несуразно вышло.

Соседская девочка Лина изменилась и в то же время не изменилась. Конечно, она стала старше, но он узнал бы ее в любой толпе. Она оказалась точно такой, какой он себе ее представлял: немногословной, не притягивающей взгляды, как Тамара, но все-таки очень... незаурядной.

Как Полина Васильевна.

— Бойся любой показухи, — говорила ему когда-то старая соседка. — Бойся людей, играющих на публику, это всегда фальшь.

— Не обязательно, — не соглашался он. — То есть, конечно, фальшь, но это не значит, что за ней стоит что-то плохое. Хочется человеку выглядеть лучше, чем он есть, и пусть выглядит. Нам-то какое дело?

— Такое! — начинала кипятиться соседка. — Такое, что если человек старается казаться другим, а тем более если ему это удается, значит, он фальшивый. Значит, говорить одно, а думать другое для него естественно.

— Ну и что? — поддразнивал ее он.

— Да ну тебя, Сережа, — махала рукой Пролина Васильевна. — Не буду же я тебе объяснять, что нужно ценить людей не лживых, которым можно верить.

Он всегда прислушивался к словам соседки. Он очень ценил людей, которым можно верить.

Лине верить можно.

А Тамаре? Он бы поостерегся.

Он больше совсем не верил собственной матери.

— Сереж, ну пойдем, — поторопила Тамара.

Ей надоело сидеть в заводском здании. И ей совсем не нравилось, что Сергей как-то уж очень сочувственно смотрит на Лину. Он должен сочувствовать только ей, Тамаре.

— Сереж, а почему все-таки Николай Иваныч думает, что киллер около завода появится? — уже в машине спросила Тамара. Логика мужчин казалась ей сомнительной.

— Я тоже так думаю, — вздохнул Овсянников. — Очень уж место удобное, лес с трех сторон. Если он машину Николая Иваныча видел, значит, догадывается, что вы здесь. Не зря же он к нему ночью домой приходил. Наверняка вас пытался найти. А раз вы на заводе, значит, и я там появлюсь.

— Почему? — не поняла она.

— Да потому что мне на вас не наплевать, — объяснил он. — Или я там появлюсь, или вы его на меня выведете. Поняла?

— Поняла, — кивнула Тамара.

Она поняла главное — пока Лина здесь, ей не будет покоя. Сережа не должен беспокоиться о Лине. Он должен беспокоиться только о Тамаре, и она его к этому приучит.

Машина Сергея Михайловича выехала со двора, медленно закрылись автоматические ворота, от них лениво прошествовала серая кошка. Лес темнел вдали и манил прохладой.

— Мы в этот лес раньше за грибами ходили, — отвернувшись от окна, объяснила Тропинину Лина.

— С бабушкой?

— С бабушкой, с Николаем Иванычем. За маслятами.

Хорошо бы сейчас поесть жареных маслят, подумал Тропинин. Жареных маслят и дымящейся картошки.

Жена предпочитала азиатскую кухню, заказывала на дом суши, которые он терпеть не мог, покупала немыслимые салаты из водорослей. Тропинин варил себе макароны и ел их с тушенкой, а она выговаривала ему за это и пугала холестерином.

— Пойдем посмотрим, может, столовая открылась, — предложил Тропинин.

— Пойдем, — вздохнула Лина.

В телефоне села батарейка, зарядить его было нечем. Если Стас звонил, мог подумать, что она отключила мобильный специально.

Столовая уже открылась, только горячие блюда еще были не готовы, и они купили то, что есть: очень вкусных пирожков с яблоками и по стакану сока.

Против пирожков с яблоками жена не возражала, иногда даже покупала шарлотку. Запрещала есть пирожки с мясом, Тропинин уже забыл почему. Наверное, из-за того же холестерина.

— По-моему, я эту «Тойоту» видел, — признался Тропинин. — Когда мы с тобой в первый раз у речки столкнулись. Она в кустах у дороги стояла.

Если бы не машина в кустах, которая тогда очень ему не понравилась, он бы, скорее всего, не пошел провожать Лину и теперь не знал бы, как мир меняется от ее присутствия.

— Прятать машину в кустах у дороги... — покачала головой Лина, — по-моему, это неразумно. Желтый лист нужно прятать в осеннем лесу, а машину на стоянке.

— Ты очень умная, — похвалил Тропинин.

Похвалил как-то так, что Лина сразу почувствовала себя дурочкой, но отчего-то совсем на него не обиделась.

Прятать машину у дороги глупо, кто же спорит. А вот поставить ее в кусты, а самому подыскать подходящее место для... для того, чтобы что-то спрятать, например. Это вполне возможно. Надо будет пошарить в кустах, где видел «Тойоту», решил Тропинин.

Лина допила сок, вытерла губы бумажной салфеткой, посмотрела куда-то в сторону. Глаза у нее опять были сказочные, он еле сдержался, чтобы не поцеловать их на виду у улыбчивой кассирши.

— Знаешь, выходят такие книжки, — улыбнулась Лина. — Клюква от всех болезней, крапива от всех болезней, еще что-нибудь от всех болезней.

— Нет, не знаю, — покаялся Тропинин. — Чушь, по-моему, невероятная.

— Чушь, — согласилась Лина. — Но все равно интересно. Я недавно видела что-то подобное про яблоки. Что-то вроде «яблоки от всех болезней». На «Чистых прудах», на книжном развале. Собиралась купить, да так и не купила, то на трамвай спешила, то дождь шел... Я там этим летом часто бывала.

— За честные выборы боролась? — обалдел Тропинин.

— Нет, — засмеялась она. — Я, знаешь ли, работаю, мне нужно денежки зарабатывать, а не на лужайке речи разговаривать. Просто по работе приходилось там бывать. А ты что, против честных выборов?

— Ну почему же против, я за. Я против того, чтобы здоровые мужики, как ты говоришь, на лужайке речи разговаривали неизвестно за какие шиши.

— Павел! — возмутилась Лина. — С ними можно соглашаться или не соглашаться, но зачем заранее предполагать, что они отрабатывают чьи-то деньги?

— Они отрабатывают чьи-то деньги, — заверил Тропинин. — Отрабатывали. Может, парочка честных дурачков там и была, а остальные ходили туда работать. За деньги. Так же, как девушки «пусси». Или ты думаешь, что они так своеобразно продемонстрировали твердую гражданскую позицию? Такую твердую, что не смогли промолчать?

— Нет, — признала Лина. — Тут я с тобой соглашусь. В церкви ноги задирать полная мерзость. Конечно, кому-то это было нужно.

— Вот именно. Если звезды зажигают, значит, это кому-то нужно, — показал он собственную эрудицию.

— Ты любишь поэзию?

— Терпеть не могу.

Нужно сегодня же подписать все бумаги и ехать с ней в Москву, если ей все-таки придется уезжать. А если не придется, он останется здесь до конца ее отпуска, они будут ходить купаться, по вечерам смотреть бессмысленные боевики по НТВ или просто сидеть в саду.

О том, что она замужем, он старался не думать.

Увидев Тамару позади Овсянникова, секретарша опешила, чуть не поперхнулась, Тамару это здорово позабавило.

— Здравствуй, Леночка, — улыбнулся Сережа. — Устрой Тамару Николаевну в комнате отдыха.

— З-здрас-сте, Сергей Михайлович, — пропела Леночка, не сводя глаз с гостьи.

Ни в какую комнату отдыха Тамаре не хотелось, она предпочла бы сидеть в Сережином кабинете и быть в курсе всех его дел, но настаивать она не рискнула.

— Кофе хотите? — Девицу распирало от любопытства, когда она вела Тамару к небольшому

235

закутку с мягкими креслами под нелепыми пальмами.

— Кофе не хочу. — Тамара мягко улыбнулась, девица еще могла ей пригодиться. — Хочу компьютер. С Интернетом.

— Ой, — заволновалась Леночка. — Тогда я могу вас в кабинете Ирины Эдуардовны устроить, она сейчас в отпуске. Или хотите, мой комп возьмите. У меня ноутбук здесь лежит, личный. Принесла и все никак домой не отнесу, руки не доходят. Хотите?

— Спасибо, — рассеянно согласилась Тамара.

Леночка принесла ноутбук, потом кофе, Тамара все-таки позволила себя уговорить. Потом секретарь сбегала за свежими булочками — а почему Тамара должна отказываться, если девка сама предлагает? Потом опять принесла кофе.

Тамара посмотрела погоду, потом новости, разложила пасьянс, и делать стало совсем нечего. Немного повалялась на диване, положив голову на кожаный подлокотник, решительно поднялась, подхватила Леночкин ноутбук и направилась в приемную, к двери Сережиного кабинета.

Через полчаса она знала об услужливой Леночке все. Девчонка оказалась студенткой МГУ, что Тамару несколько укололо, хорошему образованию она цену знала и людям, его имеющим, здорово завидовала. Секретарем Леночка подрабатывала в каникулы, поэтому как соперница Тамаре была не опасна: во-первых, молоденькая очень, на кой черт Сергею малолетка, а во-вторых, через месяц она уедет и, скорее всего, навсегда, поскольку универ заканчивает и работу искать наверняка станет в столице.

Леночкино же любопытство Тамара только раззадорила, намекнула, что знает, чем вызвана сегодняшняя суета, только рассказать не может. А суета была заметная: несколько полицейских при входе в здание вместо одного, какие-то молодые люди не хилого телосложения на площади и общая тревожная атмосфера. Очень хотелось намекнуть, что отношения ее с Сергеем Михайловичем связывают нежные и перспективные, но она не стала, чтобы не сглазить. А узнать Леночке хотелось. Тамаре на ее месте тоже хотелось бы.

Из кабинета мэра доносились неразборчивые голоса, мимо постоянно проходили люди, без кондиционера в приемной было жарко и душно, и вскоре Тамаре до смерти надоели и приемная, и Леночка, и вся фантастическая и нелепая история с киллером Филином.

— Не хочу я уезжать, — пожаловалась Лина, убирая в сумку принесенный Николаем Ивановичем железнодорожный билет.

— Ясно, что не хочешь, — усмехнулся он и философски заметил: — В жизни часто приходится делать то, чего не хочешь.

Уезжать не хотелось категорически. Да, Сергею угрожает опасность, но она-то здесь при чем? Лина знала за собой эту черту: она не умела настаивать на своем. Черту знала, а противостоять давлению не умела.

— Сейчас я пойду домой, — решила Лина. — Дом в таком состоянии я не оставлю.

— Это я предвидел, — кивнул Николай Иванович. — Поэтому и машину не отпустил. Я на такси приехал.

— До свидания, Павел, — повернулась к Тропинину Лина.

— Следи за дорогой, Паша. Не пропусти нашего... киллера, — напутствовал старый милиционер, помолчал и махнул рукой — он был уверен, что киллер давно уже в городе.

Тропинин посмотрел, как за раздолбанным старым «Опелем» закрылись заводские ворота, зачем-то постоял у окна и отправился в дирекцию: бумаги следовало подписать немедленно, тогда появлялся шанс уехать в Москву вместе с Линой.

Через полтора часа, положив папку с подписанными актами в сумку-портфель и в который раз просмотрев кадры внешнего видеонаблюдения — черная «Тойота» так и не мелькнула мимо заводского забора, — Тропинин вышел через проходную на залитую солнцем улицу.

Одному, без Лины, было непривычно пусто. Идя по солнечной улице, он снова удивлялся, что смог так быстро и так бесповоротно влюбиться.

Не было бы несколько дней назад в кустах черной «Тойоты», он бы не пошел провожать Лину. Или пошел бы? Или уже в поезде он не сводил с нее глаз, потому что видел в ней что-то особенное, что его привлекло?

Пройдя через мостик, где они недавно случайно встретились, он стянул футболку — жарко. Положить ее было некуда — сумку он оставил на заводе, и Тропинин понес футболку в руке.

Следы, оставленные «Тойотой», он нашел с трудом и начал методично, делая расширяющиеся круги, обходить местность.

Лина возилась долго, убирала в буфет банки с вареньем, что-то мыла, подметала пол. Николай Иванович наблюдал за ней с грустью, которую безуспешно пытался скрыть. Брошенные впопыхах ягоды он сложил в целлофановую сумку и сунул в холодильник.

— Вино сделаю, — объяснил он. — Зимой приедешь, мы с тобой выпьем. Приедешь зимой-то?

— Обязательно.

Она обязательно приедет зимой. И следующим летом тоже. Она будет жить в бабушкином доме, в своем доме, поправилась Лина, и вспоминать Павла. Павла, у которого, что совсем не исключено, в каждой командировке таких, как она, Лина, по штуке.

— Николай Иванович, — усаживаясь за стол напротив старика, неожиданно спросила Лина. — А у вас совсем никаких подозрений не было насчет того, кто убил Ковша?

— Были, — усмехнулся он. — Были, конечно. Не дает тебе Ковш покоя?

— Не дает, — улыбнулась Лина. — А кого вы подозревали?

— А вот этого я тебе не скажу. Подозрения подозрениями, а уверенности у меня нет. Могу оклеветать человека ни за что, а я этого не люблю.

— Жаль, — засмеялась Лина.

Конечно, у него были подозрения. У него не было доказательств.

— Ты этого Павла давно знаешь?

— Я с ним познакомилась в поезде. Чаю хотите?

— Хочу.

— То есть в поезде мы просто ехали вместе. — Лина включила чайник, порылась в буфете, поставила на стол банку с вареньем, достала чашки, блюдца. — Потом познакомились, на речке.

— Да? — удивился Николай Иванович. — А я решил, что вы давно знакомы.

— Почему? — теперь уже удивилась Лина.

— Потому, — усмехнулся он. — Смотрит он на тебя очень уж... по-особенному. Я уж было решил, что у вас роман.

— Нет у нас никакого романа. Я еще не развелась, чтобы романы заводить.

Лина опять вспомнила, что телефон не заряжен, метнулась к сумке за аппаратом, потом в комнату за зарядным устройством и испугалась, что позвонит Стас, начнет кричать и Николай Иванович это услышит.

— Клавдия не приехала еще? — Старик выглянул в окно, окна соседнего дома были закрыты. — Не приехала.

— Ну и хорошо, — откликнулась Лина. — Ни к чему ей знать, что сына... что у сына неприятности.

— Ни к чему, — согласился старик. — Хотя она не из тех, кто в обморок со страху падает.

— Николай Иванович, а где тети-Клавин муж? Умер? — запоздало поинтересовалась Лина, наливая чай себе и гостю.

— Который?

— Что?

— У нее два мужа было. — Он чуть не ляпнул, что были и другие, как теперь говорят, гражданские, но удержался. Ни к чему девчонке лишнее знать.

— Надо же. А я и не знала.

— С первым мужем она давно развелась. Никчемный мужичонка был. Да и второй не лучше, слинял в город, оставил ее одну парня поднимать. Про первого ничего не знаю, а второй несколько лет назад появился, только Серега его на порог не пустил. Так что папаша с чем прибыл, с тем и отбыл.

Ему следовало жалеть Клавдию, несчастную, одинокую, нелюбимую. Сильную и жалкую. Он и пытался жалеть, только это у него плохо получалось. Наверное, потому что не мог забыть, как Клавдия липла к Ивану.

— Знаешь, Лина. — Николай Иванович подошел к окну и уставился в сад, отвернувшись от нее. — Я законченный материалист, но мне иногда кажется, что за каждый свой поступок человек обязательно несет кару. Чем дольше живу, тем больше в этом убеждаюсь.

— А тетя Клава какую кару несет? — не поняла Лина. — Труженица, каких поискать. А всю жизнь одна.

Николай Иванович помнил парня, которого юная Клава бросила, когда соседка Полина привезла из Москвы мужа. До появления Ивана Клавдия со своим парнем часто ему попадались, они подолгу стояли у ее калитки, как потом Лина стояла с Костей, которого он всегда недолюбливал. Появился Иван, и парень исчез, больше Николай Иванович никогда его не видел. Исчез парень не только из Клавиной жизни, из города тоже, как сам Николай хотел исчезнуть, когда Полина ему отказала. Потом до Николая Ивановича дошли слухи, что тот как-то нелепо погиб.

Парень погиб, Клавдия дважды выходила замуж, а по сути всегда была одна. Кто в этом виноват? Она сама? Иван, на ее беду приехавший с молодой женой?

Судьба?

— Клавдия родилась в оккупации, — неожиданно сказал Николай Иванович. — В 43-м году. Шура, мать ее, после войны приехала сюда к своей матери с крошечной дочкой на руках. Ты тетю Шуру помнишь?

— Нет, — покачала головой Лина.

— Муж ее на фронте погиб, а саму Шуру на работу никуда не брали: людей из оккупации на работу старались не принимать.

— Как же они жили? — ахнула Лина.

— Плохо жили. Как все после войны. Голод, нищета. Потом Шура устроилась билетершей в кинотеатр. Она очень хотела, чтобы Клавдия врачом стала, но у той на высшее образование мозгов не хватило, медучилище только окончила.

В городе долго шептались, что родилась Клавдия от немца. Может, так и было. Только какая разница? Человек рождается для счастья, а счастья Клава в жизни видела мало.

Николай Иванович должен был ее пожалеть, но не жалел. Не получалось.

— Господи, скука-то какая, — пожаловалась Тамара.

От бессмысленного долгого сидения заломило спину, а может быть, ей просто стало казаться, что она сейчас вся развалится, как древняя старуха.

— Может, еще кофе? — сочувственно спросила Леночка.

— Давай. Нет, — передумала Тамара. — Чая. Обычного черного чая, только с мятой.

Девчонка опешила, растерялась, это было забавно.

— Я сейчас сбегаю в магазин, — вскочила Леночка. — Не знаю вот только, будет ли там чай с мятой.

— Ну с бергамотом купи, — смилостивилась Тамара. — И пожевать что-нибудь, печенье, что ли.

Следовало дать девчонке денег, но денег у Тамары не было. Обойдется, решила она, усаживаясь за секретаршин компьютер.

Ничего интересного в компьютере не оказалось. Телефонный справочник, календарь с заметками... Собственно, Тамара и не ждала ничего интересного, а почему-то разозлилась. Леночка вообще раздражала ее с каждой минутой все больше. Девка относилась к тем, кого Тамара никогда не понимала и всегда терпеть не могла: к услужливым дурам. Ну вот какого лешего она побежала чужой бабе чай покупать? Да еще за свои деньги. Она бы на Леночкином месте никому, кроме Сергея, чая-кофе в жизни не подала бы. Еще не хватало. Тамара потому так быстро и перешла из секретарей в инспекторы, что признавала одного хозяина — своего начальника, а всем остальным сама была хозяйкой. Люди это чувствуют — хозяин ты или так, крепостной. И реагируют соответственно.

Додумать мысль она не успела. Леночка, запыхавшись, вбежала, засуетилась — вот дура-то, господи.

— Лен, у тебя парень есть? — доверительно улыбнулась Тамара.

— Угу, — кивнула та, суетясь около стоявшего в углу электрического чайника. — Был чай с мятой. Гринфелд. Вы такой любите?

— Сойдет. Парень тоже студент?

— Да. Мы в одной группе учимся.

— А каникулы что же, проводите врозь? — удивилась Тамара. — Кстати, он у тебя откуда?

— Москвич. — Леночка поставила перед ней коробку с чайными пакетиками, сахарницу, выложила печенье на блюдечко.

— Спасибо, — благодарно кивнула Тамара. Ей не понравилось, что у какой-то деревенской дурочки парень москвич. Впрочем, москвич москвичу рознь. — Так что же ты его одного отдыхать отпустила?

— Он не отдыхает. — Леночка тоже бросила себе в чашку пакетик, залила кипятком. — Он работает. Он хорошо устроился, по специальности. И платят нормально. Он в семестре на полставки трудится, а в каникулы на полную.

— Вы квартиру снимаете?

— Нет. Я в общежитии живу. А он дома, с родителями.

— Детский сад, — хмыкнула Тамара. — Смотри, Ленка, упустишь свое счастье в одно мгновение. Мужиков мало, баб много. Тащи его в загс. И больше никогда одного не оставляй. А еще лучше подгадай ребеночка как раз к диплому. Вот это будет наверняка, а то... рабо-отает он.

Лицо у Леночки неуловимо изменилось. А что такого, собственно, Тамара сказала? Чистую правду сказала.

— Да ладно тебе, — мягко улыбнулась она. — Не обижайся, я же тебе добра желаю.

Леночка начала убирать чашки. Больше не улыбалась, дурочка, Тамара даже ее пожалела.

Впрочем, черт с ней, хвастаться будет меньше — жених у нее москвич, видишь ли.

Тамара уставилась в окно, задумалась. Вроде бы с Сережей все шло как надо, а сомнения оставались, и это плохо. Она читала во всяких умных книжках, что на пути к цели сомневаться нельзя, иначе цели не достигнешь. Такие книжки — как добиться мужчины — Тамара обожала, помнила почти наизусть и всегда им следовала. Раньше осечек у нее не было, того же Ивана получила так легко, что сама удивилась. Не было раньше, не будет и теперь, строго сказала себе Тамара, прогоняя вредные сомнения. За окном весело шумели кленовые листья на легком ветерке. Когда Филина наконец поймают, она обязательно поедет с Сергеем на речку, куда-нибудь подальше от чужих глаз. Хорошо, что она не забыла взять потрясный купальник, который купила в прошлом году за сумасшедшие деньги.

Стрелять из дома напротив овсянниковского особняка нельзя, этот вариант он даже не рассматривал. Там слишком много его отпечатков, следов ДНК, и бабка сразу опознает. В голове складывался окончательный вариант. Стрелять нужно с улицы и иметь возможность быстрого отхода. Времени для одного выстрела хватит, а одного выстрела ему всегда было достаточно.

Филин лениво прошел мимо здания администрации. В одном из окон, бросив случайный взгляд, он заметил Тамару. Захотелось остановиться, посмотреть на нее. Он не замедлил и не ускорил шага, равнодушно отвернулся.

Его ищут, это мог заметить даже самый ненаблюдательный человек. Менты ходили парами и попадались так часто, что приходилось удивляться, как много их в крошечном городишке. Спрашивали документы у невысоких парней в футболках, а кто в такую погоду не ходит в футболках... Самое смешное, что у него документы не спросили ни разу, скользили по нему равнодушными глазами и шли мимо.

Захотелось есть. С такой внешностью, какую он себе сегодня создал, ему самое место в ресторане, но Филин купил в попавшемся по дороге киоске бутылку минеральной воды и две сосиски в тесте, остановился около на удивление чистого столика, равнодушно посмотрел на окна здания городской власти. С такого расстояния увидеть Тамару было невозможно, а хотелось.

Это его последний заказ, окончательно решил он. У него вполне успешный бизнес, и больше рисковать он не может, не мальчик, в конце концов.

Филин дожевал последнюю сосиску, бросил в урну салфетку, в которую та была завернута. Времени до вечера оставалось много, надо уходить из города, не искушать судьбу. Он опять посмотрел на окна, за которыми видел Тамару.

В судьбу Филин верил. Ни в Бога, ни в черта не верил, только в судьбу. И боялся, пожалуй, только одного — судьбы.

Давно, еще в прошлой жизни, в офицерском училище, он болтался с другом Витькой на привокзальной площади и получил урок на всю оставшуюся жизнь. Податься курсантам в увольнительной было особо некуда. Город, в котором они учились, был древним, но все знаменитые достопримечательности курсанты давно изучили, да и не слишком они их привлекали. А на площади было занятно, Филин с другом пили пиво, трепались с местными проститутками, разглядывали туристов. Тогда и подошла к ним прилично одетая тетка, не иначе как туристка. Они думали, дорогу спросит, а произошло совсем другое.

— Будьте осторожны, молодой человек, — виновато глядя на Витьку, тихо проговорила тетка. — Вам грозит опасность.

— Да? — ухмыльнулся тот. — Вы с утра ничего на грудь не принимали?

Друг совсем не испугался, ему стало смешно, а вот у Филина по спине пробежал холодок. Баба нормальная, не пьяная, не цыганка. И не чокнутая. И от этого Филину стало так страшно, что холодок со спины распространился на грудь и руки, и он сцепил их, пытаясь согреть, как зимой.

— Я понимаю, вам трудно в это поверить, — пролепетала женщина и опять виновато посмотрела на Витьку. — Но все-таки будьте осторожны сегодня вечером.

Она повернулась и двинулась от них. Филин поставил недопитую бутылку пива и в два шага ее догнал.

— Вы экстрасенс? — серьезно спросил он.

— Наверное, — задумчиво произнесла тетка. Она все время говорила как-то неуверенно, но от этого Филину становилось еще страшнее. — Каждый человек немного экстрасенс, нужно только уметь видеть знаки судьбы.

— А у меня какие знаки?

— У вас? — Тетка внимательно и серьезно посмотрела на него. — Плохие у вас знаки.

— Я скоро умру?

— Нет. Вы скоро начнете убивать.

— Меня пошлют в Чечню? — глупо уточнил Филин.

— Не знаю. Не обязательно, — промямлила она и двинулась прочь, словно ей разом надоел и Филин, и весь этот идиотский разговор.

Витьку тем же вечером сбил пьяный водила на грузовике, когда они шли по обочине дороги, возвращаясь в училище. Филин успел отскочить, а Витька нет.

Филин до конца учебы ошивался на привокзальной площади, но ту тетку так больше и не увидел.

Нужно уходить. Он еще раз взглянул на окна и опять ничего не разглядел, естественно. Допил минералку, бутылку бросил в урну и не торопясь тронулся по какой-то узкой улице, держась в тени деревьев.

Из той давней встречи с робкой теткой-провидицей Филин вынес главное: следует всегда прислушиваться к собственной интуиции, только тогда можно переиграть судьбу. Витьке в тот далекий день не хотелось идти в увольнительную, он собирался поменяться с кем-нибудь, чтобы гулять, когда его подружка будет выходная. А Филин его уговорил.

— Томка-то где работает, не знаешь? — полюбопытствовал Николай Иванович.

Сидеть с Линой ему было хорошо, он только побаивался, что ей это надоест. Впрочем, пока не надоело, он это чувствовал.

— В областной администрации.

— Ну, там ей самое место, — усмехнулся он. — При власти. Знаешь, я вывел интересный жизненный закон: чем меньше мозгов у человека, тем лучше ему живется. Недаром гласит народная мудрость, что дуракам везет.

— Да ну вас, Николай Иванович. — Лина поерзала в мягком кресле, устраиваясь поудобнее. Кресла были старинные, принадлежали еще прадеду, Лина очень их любила. — И Тома совсем не дура.

— Не да ну, а точно. — Он тоже откинулся на спинку кресла. В этих креслах они любили сидеть с Полиной по вечерам. — Раньше, при советской власти, умные шли в ученые, конструкторы и сидели на жалких зарплатах. А не очень умные становились завскладами и жили не в пример лучше. Томка, конечно, не дура, но и не умная, настоящий серьезный вуз ей никогда не осилить. При советской власти она бы точно в торговлю пошла, а при нынешней устроилась еще лучше. Да что ты споришь, сама все видеть должна.

— Я не спорю, — согласилась Лина. — Меня тоже удивляет, что у нас ум и талант не очень ценятся. Когда зарплата водителя автобуса в два раза больше зарплаты квалифицированного специалиста, это грустно. У родителей друзья в НИИ остались, где они раньше работали, там такие оклады... слезы одни. Да у нас и на Нобелевскую премию квартиру не купишь. Черт знает что.

— Отсюда все наши беды. Ум и талант в нашей стране никогда не ценились. Я, когда телевизор включаю, каждый раз поражаюсь, до чего же бездарные певички на экране. Неужели нормальных голосов в России не осталось?

— Деньги, — вздохнула Лина. — Кто-то их раскручивает.

— Да, — кивнул он. — Против денег талант бессилен. Все наши беды оттого, что у нас нельзя заработать денег. У нас их можно только украсть. Большие деньги, я имею в виду.

— Я понимаю.

— И поэтому я за тебя боюсь, — признался он.

— Не бойтесь, — улыбнулась Лина. — Я хорошо зарабатываю. И работаю честно. Мне повезло, в Москве есть иностранные фирмы.

— Несчастная у нас страна. Когда законы пишут спортсмены и певицы, а не юристы и экономисты, это страшно.

— Везде так, — грустно констатировала Лина.

— А Павел твой кто? — помолчав, спросил он.

— Он не мой, — поправила она. — У него своя фирма, насколько я понимаю. Они системы видеонаблюдения устанавливают. Это честные деньги.

— Честные, — согласился Николай Иванович.

Ему хотелось сказать ей, чтобы она пригляделась к Павлу. Ему казалось, что тот был бы ей хорошим мужем и ей никогда не пришло бы в голову с ним развестись.

Не сказал. Это он считал ее внучкой, а она его едва ли считает дедом.

Николай Иванович сильно постарел за прошедшие годы. Ему очень много лет, она могла бы его больше не увидеть, если бы и дальше думала только о своих переживаниях, о Косте, о Стасе... Она совсем забыла, какой он родной.

— Я буду приезжать всегда. — Лина наклонилась к старику и взяла его за руку. — В каждый отпуск.

— Приезжай, — скупо улыбнулся он, осторожно высвобождая руку. — Я всегда тебе рад, ты знаешь.

Лесополоса вдоль дороги оказалась широкой, больше похожей на небольшую рощу. В отличие от лесов вдоль трасс, по которым Тропинину приходилось ездить, мусора в рощице почти совсем не было, и подлеска практически нет. Трава росла невысокая, кудрявая, как ковер, следов на ней совсем не оставалось. Несколько раз ему встретились поваленные недавним ураганом березы с пожухлыми листьями, Тропинин для верности посмотрел и под упавшими деревьями, но ничего стоящего не заметил.

Он плохо представлял себе, что ищет. Наверное, поэтому, вернувшись к месту начала поиска, опять стал кругами бродить между тонких высоких стволов. Теперь упавшие деревья он осматривал тщательнее. Как настоящий следопыт, мелькнула дурацкая мысль.

Что-то похожее на след человека он заметил под четвертым поваленным деревом. Собственно, никакого следа не было, просто яма, оставшаяся от вырванного стихией ствола, чем-то отличалась от остальных, которые он оглядел ранее. Земля оказалась утоптанной, края ямы не осыпались, когда он туда спрыгнул. Он долго и с разных сторон пытался сунуть руки под ствол, понимая, что это опасно: положение дерева не казалось прочным, и, сместившись, оно вполне могло оставить его без рук.

Через некоторое время Тропинин вылез наружу, отряхнул испачканную землей одежду, сорвал с ближайшего дерева ветку и, как веником, попытался пригладить дно ямы.

Ветку он выбросил, только выбравшись на дорогу.

Под поваленным деревом было спрятано что-то, упакованное в полиэтилен, и это вполне могло принадлежать хозяину укрытой в кустах несколько дней назад черной машины.

Киллеру?

Сделан тайник умело, без домкрата дерево не поднять, а без лопаты спутанную корнями землю не разрыть. А кто ходит в лес с домкратом или лопатой? Никто.

Скорее всего, сюда вообще никто не ходит, даже грибники — слишком близко от железной дороги, от песчаного берега реки со звонкими детскими голосами, от жилых домов. Разве что парочка какая-нибудь забредет посидеть на травке вдалеке от чужих глаз, но под поваленное дерево никакие влюбленные точно не полезут. И никто не полезет, даже случайный грибник.

Павел не сразу понял, что почти бежит, и заставил себя замедлить шаг. Ему не стоило привлекать к себе внимание.

Ленка, конечно, Тамару раздражала, но сидеть молча было еще хуже, совсем невмоготу. Можно найти в интернет-библиотеке какую-нибудь книжку, но читать Тамаре было лень.

— Лен, ну не злись, — попросила она. — Я не хотела тебя обидеть, правда. Я вот сейчас умру от скуки, а у тебя будет грех на душе на всю оставшуюся жизнь.

— Да что я вам, массовик-затейник? — пробурчала Ленка, но все-таки улыбнулась. Вот дура-то отходчивая, прости господи. Тамаре кто-нибудь посмел бы намекнуть, что ей мужика кроме как ребенком удержать нечем...

— Как ты тут развлекаешься-то, когда на работу не ходишь? Не скучно тебе?

— Скучно, конечно, — вздохнула Лена. — Никак не развлекаюсь. На речку хожу. Все подруги разъехались, кто в Москве, кто где.

Тамара чуть не ляпнула, какого лешего тогда она здесь торчит, если ей еще и скучно, но сдержалась, не хотела обижать девку, очень уж она обидчивая.

— Сюда на работу тебя кто устроил?

— Тетя, — неохотно призналась Лена.

Тамара видела, что говорить об этом ей не хочется, поэтому вцепилась намертво:

— Тетя тоже здесь работает?

— Нет. Она вообще больше здесь не живет, в городе.

— Почему? — заинтересованно спросила Тамара. — Сейчас в городе работа есть. Она кто по специальности, твоя тетя?

— Учительница. Русский язык и литература.

— Ну тем более, — ахнула Тамара и добавила доверительности голосу: — Учителя-то уж точно нужны. У нее здесь что, жилья нет?

— Да нет, жилье есть, она же здесь всю жизнь жила, — посмотрела в ласковые Тамарины глаза Лена. — Просто... так сложилось.

— Несчастная любовь? — Тамара догадалась, о какой тете идет речь, и посмотрела на Лену сочувственно.

— Да я сама ничего не знаю, — наконец-то наклонилась к ней Лена, потянувшись через стол. — Они с Сергеем Михалычем... гражданским браком жили. Родственники все думали, свадьбу играть будем, а Ирка, это тетя моя, от него ушла.

— Подожди, — не поняла Тамара, — так сколько ей лет, твоей тетке?

— Тридцать два. Ирка мамина сестра, а мама намного ее старше.

— Она другого нашла, да? — Тамара постаралась вложить в вопрос и понимание, и сочувствие, и недоумение.

— Нет, — возмутилась Лена. — Что вы!

— А почему же тогда? — искренне удивилась Тамара.

— Мы сами не знаем.

— Может, разлюбила?

— Нет, — покачала головой Ленка. — Нет. Ирка его любила и любит, и никакого другого у нее нет. Она ужас как переживала. Потом работу нашла в сорока километрах от города и уехала.

— Ничего не понимаю. Если она его любит и переживает, зачем уходить? Может, он другую нашел?

— Да нет вроде бы. Его ни с кем после Иры не видели. И когда она домой вернулась, он к ней приходил, звал назад. И меня сюда работать позвал. Представляете, Ирка с ним обо мне договаривалась еще зимой, потом они разошлись, а он сам к нам пришел, позвал меня работать. Не думаю я, что у него другая есть.

— Ничего не понимаю. Может, он плохо с ней обращался? Грубо? — с сомнением раздумывала Тамара. Представить Сережу грубым было трудно.

— Я думаю, она поняла, что он ее не любит, — совсем перегнулась через стол Лена. — Поэтому и ушла.

— Не любил бы, не стал бы с ней жить. Зачем это ему? Вон сколько девок незамужних.

— Ну... Я думаю, что он ее не любил, как ей хотелось. Сильно, как она его, — объяснила Лена и изрекла уж совсем недетское: — Не все по-настоящему любить способны.

Слышать это Тамаре почему-то было неприятно. А не такая уж Ленка дура, какой кажется.

— Вы маму Сергея Михалыча знаете? — помолчав, невпопад спросила Лена.

— Конечно, — равнодушно бросила Тамара. — Чем тебя его мать заинтересовала?

— У него в кабинете фотка стоит в рамке. Это его мама, как вы думаете?

— Наверное, — заинтересовалась Тамара. — Ты меня заинтриговала.

У Лены на столе звякнул телефон.

— Готовы, Сергей Михалыч, — доложила она в трубку и объяснила: — Письма нужно отнести, я сейчас.

— Давай-ка я отнесу, — решила Тамара. Фотка в рамке ее действительно заинтриговала.

На столе у Сергея стояла фотография Линкиной бабушки Полины Васильевны.

Этого только не хватало.

Тропинин знал, что нужно спешить, но не удержался, сделал небольшой крюк, зашел к Лине домой. Картину он застал мирную, спокойную и какую-то по-старинному уютную: Лина и Николай Иванович развалились в старых креслах, рядом находился сервировочный столик, чайник, чашки, и все это так не вязалось с его страхами за нее, с осыпавшейся ямой, упавшей березой и тем, что он собирается сделать, что он слегка опешил.

— Что, Паша? — спросил Николай Иванович. — Заметил что-нибудь?

— Нет, — соврал Тропинин.

— Вы тут поговорите пока, — тактично решил старик. — А я домой схожу. Принесу овощишек, будем обед сооружать.

— Не надо, — запротестовала Лина. — У меня все есть, и капуста, и картошка. И тушенка. Не ходите.

— Схожу. Ты меня дождись, Паша, не оставляй ее одну.

Тропинин слышал, как затихли шаги за окном, и вдруг понял, что не может говорить ни о чем, кроме как о самом важном, но все это не вовремя, и ему надо идти, куда он собирался, потому что опасность ей грозит реальная. А еще он боялся ее реакции на свое признание.

— Лина, — кашлянув, произнес он, чувствуя, что язык стал каким-то деревянным. — Послушай...

Он замолчал, и Лина молчала тоже, сцена показалась ему донельзя пошлой. От этого он разозлился и дальше говорил уже со злостью:

— Я знаю, это глупо, и ты можешь мне не поверить, но я тебя люблю. То есть я хочу, чтобы ты стала моей женой.

— Почему глупо? И почему я не должна тебе верить? — чуть улыбнулась Лина.

Нет у него никаких баб в каждом городе, а Томка просто злюка и вредина.

— Ну... — Он замялся, и вся его злость куда-то пропала. — Просто мы знакомы недавно, а за женщинами нужно долго ухаживать...

Тут он совсем запутался и замолчал.

— Раньше ты подолгу ухаживал за женщинами? — опять улыбнулась Лина.

Она так и продолжала сидеть в кресле, как сидела, разговаривая с Николаем Ивановичем. Тропинин подумал и осторожно уселся перед ней на корточки.

— Нет. — Он не посмел ее обнять. — Раньше я за ними совсем не ухаживал. То есть все это не имело для меня никакого значения.

— Паша. — Она легко встала с кресла и отошла к окну, отвернувшись от Тропинина. — Я знаю, не стоит тебе говорить, но я... ждала этих слов. Я тебе очень благодарна, Паша.

— За что? — не понял он.

— За все.

За то, что она впервые за много лет почувствовала себя интересной кому-то. Любимой.

Со Стасом она никогда не чувствовала себя любимой, даже когда они не ссорились.

За то, что, глядя на Павла, она увидела наконец, какое Костя... ничтожество.

За то, что верит: у него нет по бабе в каждом городе.

— Это трудно объяснить, ты мне просто поверь.

— Лина... — начал он, вставая.

— Подожди, Паша. — Она не повернулась к нему, но как-то угадала, что он сейчас подойдет. — Этого тоже не стоит говорить, но я скучаю без тебя. Мне плохо без тебя. И... мне страшно.

Страшно ошибиться в третий раз. Она не переживет, если ошибется опять.

Он ничего не понял из того, что она лепетала.

Но понял главное — она сказала именно то, что он хотел услышать. Все остальное неважно.

И тогда он наконец шагнул к ней и, не обращая внимания на слабое сопротивление, прижал ее к себе, уткнувшись щекой в волосы:

— Меня тебе бояться не надо. Я сам тебя боюсь.

— Паша...

— Не желаю ничего слышать, — прошептал он, щекоча дыханием ее ухо. — Ты будешь моей женой, хочешь этого или нет. Поняла?

Она не ответила и не поняла, что из глаз потекли слезы, пока он не стал вытирать их губами.

Они так и стояли у окна, пока не пришел Николай Иванович.

— Том, ты есть хочешь? — задержал ее за руку Овсянников, когда она принесла напечатанные Леной письма.

— Ясное дело, хочу, — пробурчала Тамара.

— Скажи Ленке, пусть обед из ресторана закажет. Выбери себе что-нибудь в меню, а мне кусок мяса с картошкой. Она закажет, она умеет.

— Да ну-у, Сережа, — возмутилась Тамара. Ей совсем не улыбалось принимать пищу наспех за чьим-то рабочим столом. — Давай сами в ресторан сходим. Если тебе сейчас некогда, давай попозже пойдем.

Ему не хотелось тратить время на рестораны.

Он был обязан ей жизнью.

— Идет, — согласился он. — Я сейчас закончу кое-какие бумаги, и пойдем.

Полина Васильевна смотрела на него со стола с любопытством. Он тоже на нее посмотрел и чуть не произнес вслух, что прекрасно видит: Томка имеет на него виды, только что же теперь делать?

Нужно все это как-то прекратить, но он не знал как.

Отвернувшись от покойной соседки, он снова уткнулся в бумаги, а потом опять посмотрел на старую фотографию.

Ему не хватало Полины Васильевны. Не то чтобы она что-то когда-то за него решала, упаси боже, этого он не позволил бы никому, просто он очень ценил ее мнение. Пожалуй, только ее мнение он и ценил в своей взрослой жизни.

Сергей Михайлович сложил бумаги аккуратной стопкой, вышел из кабинета и бодро проговорил:

— Пойдем, Тома. — Он хотел сказать «Томочка», но при Лене не стал.

Тамара с Леной казались подружками, и он этому удивился, отчего-то он был уверен, что эта красавица секретаршу загоняет, и даже слегка волновался за нее по этому поводу.

Ближайший ресторан находился в двух шагах, однако идти туда было не только глупо, но и по-настоящему опасно. Конечно, о его безопасности заботились, он в этом не сомневался, усиленные патрули заметил, но провинциальная полиция и друзья-сослуживцы против настоящего киллера могли и не потянуть. Он бы ни за что не пошел, если бы мог отказать Тамаре.

Она рестораны обожала. Не только потому, что любила вкусно поесть, как раз это было не главным, она и сама умела готовить не хуже любого повара. Главное было чувствовать себя человеком первого сорта по сравнению с официантами и всеми прочими. На официантов Тамара, диктуя заказ, никогда не смотрела и только потом словно бы замечала и ласково им улыбалась. Получалось и вежливо, и разом ставило всякую челядь на место. Этому ее никто не учил, сама додумалась.

При Сереже она от привычного приема воздержалась, девушке в белом переднике улыбнулась сразу, на меню не взглянула, попросила рыбку какую-нибудь и овощной салат. Овсянников тоже не долго выбирал, по рабоче-крестьянски заказал мясо с жареной картошкой. Иван, как правило, меню изучал придирчиво, подробно расспрашивал официанта о каждом блюде, странно, что раньше Тамаре это нравилось.

В неярком свете Тамара была поразительно хороша, сказочно. Ему сорок лет, давно пора жениться.

Она смотрела на него так откровенно призывно, что ему опять стало неловко за нее.

Ирина никогда на него так не смотрела, хотя любила его как мало кто способен любить, он это знает.

— Молодежь из города бежит, — грустно вздохнула Тамара. Ей нет никакого дела до молодежи, но ему об этом знать необязательно. — Ленка говорит, у нее все подруги разъехались.

— Учиться негде, — посетовал он. — У нас три техникума, колледжа по-нынешнему, а все, кто потолковее, хотят в институт, и правильно делают. В колледжи каждый год недобор. Но я надеюсь положение с молодежью исправить. Врачам льготное жилье предоставим, инженерам молодым тоже помочь постараемся. Кстати, на заводе у техперсонала зарплаты вполне приличные, почти как в Москве. Иначе завод бы не подняли.

— Знаешь, Сережа. — Тамара отложила вилку и слегка коснулась его руки. — Ты очень хороший. Ты очень добрый человек.

— Я тебе что, Марк Крысобой? — усмехнулся он.

— Какой крысолов? — не поняла Тамара.

— Крысобой, — поправил он. Ему опять стало за нее неловко, и стыдно за эту свою неловкость, все-таки она спасла ему жизнь. Попыталась спасти. — Это я так, шучу. А ты не говори ерунду, я не дитя малое из первого класса, чтобы меня за пятерку хвалили.

— Я говорю не ерунду, — возмутилась Тамара. — Я правду говорю. Ты очень хороший, и городу повезло, что ты есть.

— Томка! — пригрозил он.

Она была бы ему отличной женой. Она не такая умная и чуткая, как Ирина, но ему в общем-то не нужны ни ум, ни чуткость. Ума ему хватает своего, а от женской чуткости одно беспокойство.

Томка очень красивая, веселая, ласковая. Почему же ему с ней так тошно?

— Я вот что решил, Тома, — нашелся он. — Ты получишь пять процентов акций завода.

— Ты что, мне платишь?.. — замерла Тамара с кусочком рыбы на поднятой вилке.

— Да, — кивнул он. — Я плачу за информацию, которую ты...

— С риском для жизни... — зло подсказала она.

— Вот именно, — он опять кивнул. — С риском для жизни мне предоставила.

Ей не нужны никакие акции, она хочет за него замуж. Тамара очень хотела за него замуж.

— Я это сделала не за деньги.

— Я знаю. И я всю жизнь буду тебе обязан. А акции ты возьмешь, это действительно плата, хоть и небольшая. Кстати, — переменил он тему. — Лина не звонила?

— Нет.

Он принялся набирать номер, потом чертыхался по поводу того, что Линка покинула территорию завода, потом решил сам проведать ее подружку. Опять звонил и давал указания.

Тамара поехала с ним, естественно.

— Работа тебе нравится? Справляешься? — Николай Иванович старался не думать, как тоскливо ему станет без Лины.

— Нормальная работа. И коллектив хороший, — кивнула Лина. — Только если бы я сейчас кончила школу, ни за что не пошла бы в технари.

— А куда же пошла бы? — удивился он.

— Не знаю... Во что-нибудь более женское. В художественное училище, что ли. Или в иняз. Или куда-нибудь на истфак.

— Ну, положим, историю изучать тебе и сейчас ничто не мешает. А иностранный язык, насколько я понимаю, это вообще не специальность, его худо-бедно можно за полгода выучить. А твою специальность за полгода не одолеешь.

— Не одолеешь, — согласилась Лина и улыбнулась. Ей все время хотелось улыбаться, к месту и не к месту. — И вот что странно, чем дольше я работаю, тем больше мне кажется, что все технические специальности — это просто-напросто ремесло. Ремесло, требующее высокой квалификации.

— Я думаю, если поглубже копнуть, любое дело покажется ремеслом, даже самое творческое.

— Наверное, — кивнула Лина. — А знаете, Николай Иваныч, у нас из всего выпуска по специальности работает всего два человека: я и еще один парень. И так не только в электронике. Так везде.

— Ну вот поэтому спутники и падают один за другим. Зато газа много продаем.

— Грустно, — констатировала Лина. Со Стасом у нее никогда не получалось так поговорить: обо всем и ни о чем. — У папы на кафедре весь преподавательский состав пенсионеры. Весь, представляете? Скоро студентов учить некому будет.

— Я думаю, Лина, ситуацию можно исправить быстро. Если захотеть, конечно. Создали же японцы свою державу из ничего, и мы способны создать. Воссоздать, — поправился он. — Человек многое может. Сейчас вот много разговоров ведется о снижении уровня школьного образования. Я не хочу сказать, что это хорошо. Это плохо, конечно. Но и не смертельно. Умный человек всегда найдет способ выучиться. И своих детей без образования не оставит. А дурака все равно ничему не научишь, сколько ни бейся.

— Это так, наверное. И все равно грустно.

— Знаешь, мы столько пережили, я имею в виду русский народ. Лучших убивали в 18-м. В 37-м. С 41-го до 45-го. Мы пережили немыслимое, но выстояли. Я думаю, нам ничто не страшно.

Телефон заиграл неожиданно громко и тревожно. Лина испугалась, что это Стас, но это оказался Сергей. Она путано объясняла, почему оказалась дома, оправдывалась, малодушно ссылалась на Николая Ивановича, и кивала, когда Овсянников заявил, что сейчас приедет.

На маленький столик телефон она положила неловко, столкнув стоявшую там очень старую деревянную вазочку. Вазочка совсем рассохлась, по-хорошему ее давно пора бы выбросить, но, глядя на развалившуюся на две ровные половинки бабушкину утварь, Лина почувствовала, что глаза застилают мгновенно подступившие слезы.

— Ты что, Лина? — опешил Николай Иванович. — Ты плачешь, что ли?

Она промолчала. От радости, оставленной Павлом, не осталось ничего. Ей только показалось, что здесь она вернулась к себе прежней, беззаботной, счастливой.

Она старая усталая кляча с расшатанными нервами.

— Перестань, — проворчал сосед. — Что ты как маленькая. Сейчас склеим, делов-то.

Лина слышала, как Николай Иванович на втором этаже рылся в ящиках с инструментами, и без него чувствовала себя совсем брошенной. Настоящая истеричка, прав Стас.

Она подошла к соседу как раз в тот момент, когда он открывал очередной ящик. Под набором отверток в яркой пластмассовой коробке виднелся темно-коричневый футляр ее фотоаппарата.

— Господи, — ахнула Лина, вынимая из толстой кожи пластмассовый корпус. — Как он сюда попал?

Фотоаппарат был разбит, корпус, во всяком случае.

Бабушка иногда совала сломанные вещи в самое неподходящее место.

— Флэшка могла уцелеть, — объяснила Лина. — Нужно подключить его к компьютеру.

Николаю Ивановичу повезло: Лина, включив компьютер, метнулась в другую комнату к зазвонившему телефону, о чем-то недолго поговорила, как он понял, с Леной, с матерью, и файлы на флэшке он увидел первым. Она была права, память оказалась целой, и теперь он знал то, о чем боялся догадываться.

— Не читается, — пробурчал он подошедшей Лине, отсоединяя провод от компьютера. — Пойдем дальше клей искать.

Сейчас ему больше всего хотелось, чтобы она немедленно очутилась за много километров отсюда, потому что теперь опасность ей могла угрожать страшная, пожалуй, пострашнее киллера.

Магазин «Рыболов-охотник» располагался напротив гостиницы. Тропинин углядел его случайно, когда впервые подъехал к отелю. Заядлым охотником был муж его родной и любимой тетки Киры, дядя Иван. Маленький Паша ему завидовал, мечтал поскорее вырасти и тоже бродить с ружьем по опасным северным лесам.

Тетя Кира охоты не одобряла, мужа пилила, жалела убитых ради глупой забавы зверей и отказывалась делать воротник из привезенной однажды дядей лисицы.

Иван умер совсем молодым, почти ровесником теперешнего Тропинина, и не от лап свирепого медведя, а от банального инфаркта, цапнувшего здоровяка Ивана исподтишка и сразу. А молодая, красивая и веселая Кира навсегда превратилась в тихую старушку.

Нужно позвонить ей, напомнил себе Тропинин. Давно не звонил.

Магазин был завален всевозможными вещами, назначения многих он даже не представлял. И капканы нашлись, естественно.

Охотником Тропинин был никаким, а инженером опытным, и с капканом разобраться сумел.

Обратная дорога показалась ему гораздо короче. Он когда-то читал, что по законам психологии так и должно быть, только забыл почему.

Прилаживал капкан Тропинин долго, замирая от страха, что в него может попасться не тот, кого он ждет. Капкан был мощным, любой ноге не поздоровится. Потом долго и тщательно заметал веткой осины следы своего пребывания. Затем, постоянно прислушиваясь к посторонним звукам, обошел место охоты, так и не приглядев, где можно надежно укрыться, и не выпуская из вида яму с замаскированным капканом.

Он стал осматривать деревья и наконец решил укрыться в листве растущей рядом липы. Выпил газированной минералки из купленной по дороге бутылки, радуясь собственной предусмотрительности — без воды пребывание в июльском лесу не назовешь комфортным, и, с сомнением оглядев собственные джинсы, полез на дерево. Дело не в том, что ему жаль новых и дорогих джинсов, просто ничего другого он в командировку не взял, а небрежности в одежде не выносил.

Устроившись на толстой ветке, Тропинин опять себя похвалил — место наблюдения выбрано отлично. Сквозь листву отчетливо чернела яма, кривые корни поваленного дерева и все подступы к опасной охотничьей игрушке.

В доме Полины Васильевны Сергей Михайлович не появлялся с самых ее похорон. Ее дочь Лена приглашала, когда случайно встречались во время ее приездов, но он отнекивался, ссылался то на занятость, то еще на что-нибудь. Малодушничал, конечно. Боялся опустевшего без Полины дома.

Она была ему другом, а дружбу Сергей ценил. Пожалуй, дружбу единственно и ценил. Мужики это чувствовали, потому и шли за Сергеем, иначе не достиг бы он той цели, которую когда-то себе наметил.

— Нашла фотоаппарат, да? — Тамара, увидев, как Николай Иванович застегивает кожаный футляр, заставила себя улыбнуться.

Она кипела от злости с той самой минуты, когда Сергей забеспокоился о Линке.

— Нашла. Он сломан.

— Ты что же это приказов не исполняешь? — Сергей посмотрел на Лину и отчего-то развеселился. Может быть, оттого, что соседкин дом оказался совсем не страшным. — Велено тебе на заводе находиться, вот и находись.

— Так я же не на службе, — улыбнулась Лина.

— Да ладно тебе, Сережка, — пробурчал Николай Иванович. — Здесь не опасней, чем на твоем заводе. Хотя за заботу спасибо.

— Ну, благодарить-то не за что, это я должен ее благодарить.

Утром Сергею не удалось как следует рассмотреть Лину, и все-таки сейчас она показалась ему какой-то другой, новой по сравнению с утренней. А еще почему-то неприятно царапнуло, что у нее, по словам Тамары, есть «друг».

— Чайку? — спохватилась Лина.

— Мы только что обедали, — раздраженно бросила Тамара. Хотела сказать без злости, но не получилось.

Очень ей не нравилось, как Сережа смотрит на ее подругу. Очень.

— Чайку, — кивнул Овсянников. Его задело Тамарино «мы».

Господи, какое ему дело до них обеих! Разобраться бы с киллером да заняться своими делами.

— Новостей никаких? — наблюдая, как Лина возится на кухне, поинтересовался Николай Иванович.

Мог бы и не спрашивать. Ясно, что никаких, иначе Сергей доложил бы.

— Ищем. На вашей улице ходят патрули с двух сторон. Я только что проверял. И позади домов тоже.

— Скорее бы его поймали. — Лина принялась накрывать на стол. — Я не хочу уезжать.

Повадками она очень напоминала бабку, Сергею было приятно за ней наблюдать. И вообще в ней чувствовалось что-то совершенно неуловимое и родное до боли.

Мать Полину Васильевну не любила. Ненавидела. Хоть и старалась скрыть это от всех, и от него тоже. От Сергея мать ничего не могла скрыть. Впрочем, как и он от нее.

Он рано понял, что она соседку терпеть не может, только не знал почему. Сначала думал, что просто ей завидует: Иван Ильич был в городе не последним человеком, и жили соседи не в пример лучше, чем они. Уже почти совсем взрослым Сергей догадался, что дело в самом Иване Ильиче, и открытие это его тогда здорово покоробило. И обидно ему стало не только за мать, но и за соседку. Впрочем, и тогда, и сейчас он старался гнать от себя эти мысли. Он давно научился принимать близких такими, какие они есть.

— Он профессионал, Сережа.

— Догадываюсь.

— Твои патрули против него мало что значат.

— Ну что-то же надо делать. И патрули вы зря ругаете, Николай Иваныч, ребята стараются.

— Вас бы, Николай Иваныч, назначить поисками киллера руководить, вы бы всех преступников сразу переловили, да? — не выдержала Тамара. Ей нет никакого дела до старого мента и даже до поиска киллера, ей очень не нравится, как Сережа смотрит на Лину.

— У Николая Ивановича большой опыт, Тома, — вступилась Лина.

— Он профессионал, и его мнение для меня много значит, — по-настоящему разозлился Овсянников, тщетно пытаясь это скрыть.

Ему стало неловко за Тамару. Он должен быть ей благодарен, а она его здорово раздражает, и он ничего не может поделать со своим раздражением.

Чашки Лина подала бабушкины. И аромат чая, и сама Лина словно вернули Сергея в давнюю уютную и веселую атмосферу дома Полины Васильевны.

— Не надо меня защищать, — усмехнулся старый милиционер. — Я сам за себя постоять в состоянии.

— Попробуй конфеты, Тома. Очень вкусные, — подвинула к ней коробку Лина.

— Не хочу.

Тамара не добавила «спасибо», и Сергей опять почувствовал за нее неловкость.

— А я вас и не защищаю, — повернулся он к Николаю Ивановичу. — Для меня ваше мнение истина в последней инстанции, и вы отлично это знаете.

— Что есть истина? — хмыкнул старик.

— Беда, ежели человек начинает философствовать, — улыбнулась Лина.

273

Впервые после смерти Полины Васильевны Сергей ощущал давно забытое: общее понимание, необидные шутки и почти осязаемую ауру душевной теплоты. Ирина пыталась создать что-то похожее, но он был слишком занят своими проблемами, слишком уставал, у него не хватало ни сил ни времени на душевные разговоры. А может быть, не было желания.

Все засмеялись, кроме Тамары. Она казалась лишней в этой компании, чужой, ненужной. Это было обидно и очень несправедливо. Она пожертвовала всем ради Сергея — Иваном, выгодным браком. Она рисковала собственной жизнью, а он на нее даже не смотрит.

— Извините меня. — Лина дождалась, когда чаепитие закончилось. — Я выйду в сад, покурю.

— Я с тобой, — поднялся Сергей Михайлович.

Лина уселась на траву под старой яблоней и стала еще больше похожа на молодую Полину Васильевну. У соседки на стене висела большая фотография, черно-белая, на ней Полина Васильевна была такой красивой, что маленький Сережа сначала даже не верил, что это она. Подростком он очень хотел, чтобы женщина с фотографии оказалась его ровесницей, чтобы она стала его девчонкой и все бы ему завидовали.

Или дело не в красоте, а в чем-то еще, что заставляет взгляд сосредотачиваться на этом лице. Томка очень красивая женщина, строго говоря, красивее Лины, а душевного трепета не вызывает.

Сергей Михайлович наклонился к Лине и неожиданно для себя произнес:

— Лина, если бы не эта дурацкая ситуация, я бы отбил тебя у твоего мужа.

И только сказав это, он понял, что все утро думал о ней, даже когда занимался срочными делами или разговаривал с Тамарой. Он думал о ней, и всю жизнь манили его соседские женщины как сирены, и он ничего не мог с этим поделать.

Бред.

Нужно было улыбнуться, показать, что эти слова только неумная шутка, но он не улыбнулся. Распрямился и стоял, глядя на нее как идиот.

Сидеть за столом для Тамары было мучением, невыносимо видеть, как Сережа поглядывает на Линку, обидно не понимать, чему они смеются, и чувствовать себя невежественной дурой. И еще одно Тамару разозлило: она заметила, что глаза у подруги словно светятся, и безошибочно все поняла. А чего тут не понять-то? В Москву Линка отвезет новую любовь — Павла. Самое обидное заключалось в том, что бороться за него ей не пришлось, любовь сама приплыла к ней в руки, как в сказке.

Николай Иваныч расспрашивал про бабку и все никак не отвязывался, она с трудом вырвалась наконец в сад. Конечно, если бы Тамара не испугалась Филина, а потом так не радовалась, что оказалась рядом с Сережей, она и не подумала бы сдаваться, увидев, как он стоит рядом с сидящей под деревом Линой. Но она слишком измучилась за последние дни, слишком верила в свою удачу и не ждала такого удара, поэтому у нее не было сил слышать, что он хотел бы отбить Лину у ее мужа. Слова, которые он говорил подруге, он должен был сказать ей, Тамаре.

И, как восемь лет назад Лина, Тамара бросилась в единственное спасительное место — домой. Оттолкнув пытавшегося ее остановить Сергея, и потом, мчась по безлюдной улице — днем, в жару все улицы в городе были почти безлюдными, она все повторяла, как чокнутая, что Линка отомстила ей по полной. По полной...

То ли потому что у нее уже не было сил бежать и очень хотелось упасть и завыть, как бездомная собака, то ли по другой причине, но она кинулась почти под колеса медленно догонявшей ее белой машине, рванула дверцу и плюхнулась на кожаное сиденье.

Машина не торопясь поплыла по раскаленному асфальту, и только тогда Тамара узнала водителя. Филина.

Сидеть на дереве оказалось трудно, затекали мышцы, слабела рука, обнимавшая толстый ствол, и Тропинин всерьез стал бояться, что свалится вниз, как какой-нибудь первоклашка. Хорошо хоть комары не донимали, в Подмосковье бы сожрали до костей. Лес здесь вообще сильно отличался от подмосковного, ни высокой болотной травы, ни густого подлеска. Немного к югу, а природа совсем другая.

Изредка слышались неясные голоса. Потом сюда забрела одинокая парочка. Тропинин испугался, что молодые люди полезут в яму, и уже приготовился им кричать, но яма парочку не заинтересовала, они долго и целомудренно целовались, сидя на низкой кудрявой травке, а потом ушли куда-то по своим делам.

К лесу Тропинина приучила тетя Кира. Он-то предпочитал ловить с ребятами рыбу в больших прудах, раскинувшихся сразу за дачным поселком, где маленький Паша проводил с теткой летние каникулы. Она работала преподавателем математики в техникуме, отпуск у нее был длинный, почти все лето, и все это время она безвылазно сидела с маленьким племянником на даче. Ему хотелось к ребятам на пруд, но она не одобряла не только охоты, но и рыбной ловли тоже, а ему не хотелось ее расстраивать. Маленький Паша послушно натягивал резиновые сапоги, курточку, брал маленькое пластмассовое ведерко и плелся за теткой, очень себя жалея. Впрочем, жалел он себя недолго, тетка знала массу интересного, например, о том, что пруды вовсе не пруды, а остатки древнего озера, образовавшегося еще во время ледникового периода. Она показывала ему растения, перечисляла их лекарственные свойства, а еще легенды, с ними связанные. Паше было с ней не скучно.

Они возвращались домой усталые и довольные. Кира мыла принесенные грибы, потом жарила их на сковородке. Грибы получались очень вкусными, никто не умел их так вкусно готовить, даже мама, хотя она кулинаркой слыла отменной.

По пятницам вечером приезжали родители, становилось шумно, весело. Жарили шашлыки, взрослые пили вино. Паша уезжал кататься на велосипеде и возвращался, когда уже темнело. Его за это ругали, но не сильно, потому что дачные места были тихими, ни о каких педофилах тогда никто не слыхивал, такого количества автомобилей, как сейчас, не было и в помине, как не было и огромных стай одичавших собак.

Вечером в воскресенье родители уезжали, Паша опять оставался с теткой и со своей тайной. Тайна называлась «водка».

Тропинин не помнил, когда заметил и понял, что тетя Кира пьет. Нет, по-настоящему пьяной Кира никогда не бывала, она не шаталась, как мерзкие дядьки на улице, говорила четко и внятно, от нее даже почти не пахло. И все-таки он знал, что в ее платяном шкафу прячется бутылка, и с каждым днем в ней остается все меньше спиртного, а потом новая бутылка сменяет старую.

При родителях Кира выпивать себе не позволяла, разве что сухое под шашлыки, и при Паше не позволяла тоже, дожидалась, когда он заснет. Он знал, что ежедневное пьянство опасно, и очень боялся, что тетка сопьется, и каждый раз хотел по секрету рассказать об этом родителям, но так и не рассказал. Пьянство в семье осуждалось, а тетку он любил.

Он и потом, взрослея, боялся, что она сопьется, и радовался, что этого не происходит, и никому ничего не рассказывал.

Он до сих пор, встречаясь с ней, с тревогой всматривается в ее лицо, страшась обнаружить следы алкоголизма, но видит только бесконечную усталость от безрадостной одинокой жизни.

Тропинин не выдержал, слез с дерева, размялся, поприседал, попрыгал. Попил воды и опять полез на дерево, понимая, что все это бред и ребячество, и ему стыдно будет об этом кому-то рассказать.

Сегодня Филин был совсем другим. Если бы Тамара увидела его таким у входа в ресторан, то ни за что бы его не узнала и прекрасно жила бы сейчас с Иваном. Сегодня Филин, в безумно дорогих очках в тонкой оправе, в песочной рубашке в еле заметную полоску и с неброским, но тоже очень дорогим галстуком, походил на молодого преуспевающего чиновника. Или на молодого преуспевающего ученого. Впрочем, преуспевающих ученых Тамаре видеть не приходилось, разве что в телевизоре, когда показывали иностранных нобелевских лауреатов. Маскировка была отменной, нынешний Филин никак не походил на себя вчерашнего.

— Тебя ищут, — осторожно сказала Тамара, разглядывая умное интеллигентное лицо.

— Да? — удивился он. — А ты что же от своего Овсянникова сбежала? Не захотел на тебе жениться?

У него изменилась не только внешность, речь и голос изменились тоже. Совсем не походил он на рыночного бандюгана. И оттого что новый Филин, умный, вальяжный и дорого одетый, откровенно над ней насмехался и сразу попал в точку, Тамара почувствовала себя совсем раздавленной и еще почему-то неуклюжей деревенской дурой, хотела огрызнуться, но передумала, отвернулась и уставилась на темный асфальт дороги. Почему-то страха она не ощущала.

— Ты хотел, чтобы я Овсянникова привела, я приведу. Хочешь?

— Нет, — покачал он головой, не отрываясь от дороги. — Больше нет такой необходимости.

Он видел, что она вся кипит от злости, и эта ее злость показалась ему по-детски жалкой, и сама она показалась ему жалкой, даже какой-то убогой, похожей на бездомного щенка, и он искренне ее пожалел.

Филин притормозил перед железнодорожным переездом и выехал из города, Тамара этого не заметила.

— Останови машину, — буркнула она, когда вдали замаячил указатель поворота к деревне, где когда-то жили ее дальние родственники, а теперь никакой родни там не осталось.

Филин посмотрел на нее с насмешкой и послушно съехал на обочину. И еще что-то было в его взгляде, отчего Тамара посидела молча и еле слышно прошептала:

— Поцелуй меня.

— Что? — опешил он. Посмотрел на нее с изумлением и разозлился так, что свело скулы. — Я тебе что, эрзац-бойфренд? За неимением гербовой пишем на простой? Да?

У него даже речь стала другая, отстраненно отметила Тамара. Она молчала, уткнув лицо в ладони, и думала о том, что она не нужна никому, даже Филину, а ведь ей почему-то показалось — она ему нравится. Она молчала, и он взорвался окончательно:

— Пошла отсюда! Убирайся из моей машины!

Она опять ничего не ответила, и тогда он, перегнувшись через нее, толкнул дверь, а потом толкнул Тамару. Она не стала дожидаться, когда он совсем ее выпихнет, выбралась из машины и, как скрюченная старушка, медленно побрела вдоль шоссе. Даже не сообразила, что к городу надо идти в обратную сторону.

Мягко шумел лес по обе стороны дороги, негромко щебетали птицы, порхали разноцветные бабочки. Белый «Фольксваген» медленно ее обогнал и остановился, Филин открыл дверь, перегнувшись через сиденье, зло бросил:

— Садись.

Она не отреагировала, продолжала брести, почти не отрывая ног от земли. Он подал машину вперед:

— Садись. Да садись ты, дура!

Тамара постояла, тупо пялясь на открытую дверь небольшого джипа, вздохнула и забралась внутрь.

Мотор негромко приятно гудел, в салоне было в меру прохладно, Тамара уставилась в окно, на Филина не смотрела. Он мягко правой рукой развернул ее к себе, наклонился и коснулся ее губ, сначала легко, а потом настойчиво. От него пахло горькой свежей туалетной водой, наверняка очень дорогой.

Она и не подозревала, что он может быть таким нежным.

Тамара высвободила руку, которую он неловко прижал, обняла его за шею и прильнула к мускулистой груди.

Сергей выбежал на перекресток вслед за стихающим шумом отъезжающей машины.

— Где она? Где девушка? — Он рванулся к хилому патрулю — двоим совсем молоденьким курсантам и парню чуть постарше, в полицейской форме. Парня он узнал, встречал в городе.

Курсанты перепугались, полицейский тоже заметно струхнул, но ответил степенно:

— В машину села. Белый «Фольксваген». Джип.

— Номер! — заорал Сергей на несчастного копа. — Номер запомнил?

Орать на парня было нельзя, Сергей давно дал себе зарок не орать никогда и ни на кого. Не сдержался. За Томку стало так страшно, как, пожалуй, никогда и ни за кого раньше.

Как ни странно, полицейский номер запомнил и продиктовал его четко, без запинки.

— Нас предупреждали насчет черной «Тойоты», — попытался оправдаться парень.

— Ладно, — отмахнулся Сергей Михайлович. — Не важно. За рулем кто был?

— Мужик какой-то, — переглянулся патруль.

— Усов, бороды нет. Очки, — доложил полицейский. — Лет тридцать.

Через час Овсянникову доложили, что белый «Фольксваген» въехал в город со стороны завода сегодня утром, его зафиксировали камеры наблюдения, так вовремя установленные на заводе.

Ничто не говорило о том, что Томка села к киллеру.

Ничто, кроме интуиции Сергея и страха.

Если с ней что-то случится, он навсегда останется подлецом. Он не сможет жить, если будет чувствовать себя подлецом.

Осадок от Томкиного побега был таким отвратительным, что оставаться дома Лина не могла.

— Николай Иваныч, — предложила она. — Давайте на рынок сходим. Раньше там всякие штучки из дерева продавали. Туески, корзиночки. Сейчас продают, не знаете?

— Продают. А зачем тебе? Неужели в Москве такого барахла нет?

Конечно, выходить из дома не стоило, но от настоящей опасности, которая ей теперь угрожала, стены дома не спасали. К тому же, пока Овсянников жив, Лине киллер не страшен, у него сейчас одна задача, главная, на девчонок он отвлекаться не станет. Да и патрули не зря поставлены.

— Не барахла, а красоты, — поправила Лина. — В Москве есть, конечно, но все какое-то аляповатое. Здешние мастера лучше работают. Раньше работали, во всяком случае. Давайте сходим, Николай Иваныч. Хоть каких-то сувениров привезу, не хочется уезжать с пустыми руками. И еще мне нужно какой-нибудь банкомат найти: отдам вам деньги за билет, совсем наличных не останется.

— За билет можешь не отдавать, — проворчал он. — Вернешь когда-нибудь потом, я не бедствую.

— Спасибо, но я не люблю долгов.

Заглянув по дороге домой, Николай Иванович сунул фотоаппарат в ящик комода. Тот, кто захочет его найти, все равно найдет, куда ни спрячь, но и совсем на виду оставлять не хотелось. От фотоаппарата исходила реальная угроза, старый милиционер ощущал ее почти физически.

— Как изменился город, — заметила Лина, глядя на аккуратную дорожную разметку, сверкающие витрины, весело щебечущих в мобильные телефоны девушек. — Даже не скажешь, что совсем недавно это была самая настоящая деревня.

— Изменился, — признал Николай Иванович. Город изменился сильно, и в лучшую сторону, благодаря Сережке Овсянникову, этого нельзя не признать.

— А церковь как здорово отстроили. Я ее помню в руинах, а теперь какая красота.

— Я сам ее все время в руинах помню. Маленький был, мы на развалинах в войну играли. Церковь перед войной взорвать пытались, до конца не разрушили, так руины и оставили.

— Кошмар.

— Кошмар, — согласился он. — Дикость. Кстати, ты не окрестилась, сейчас это модно?

— Нет. Мне не нравится мода на веру.

— Мне тоже не нравится. Правда, мне не нравилась и мода на безверие.

— А сами вы как к церкви относитесь?

— К церкви как к институту... Раньше, когда вера была под запретом, с уважением относился. Требовалось обладать большой силой воли, чтобы при советской власти пойти в священники. А сейчас никак не отношусь.

— А к вере?

— К вере... Ну, если под Богом понимать некую непознанную высшую силу, то, пожалуй, верую.

— Это называется агностик.

— Знаю, — засмеялся он. — Не ты одна такая умная.

Ему больше всего на свете хотелось, чтобы она никуда не уезжала, и он разговаривал бы с ней, поил ее настоянным на травах чаем и защищал от всех киллеров, какие только есть на свете.

И в то же время ему больше всего на свете хотелось, чтобы она немедленно оказалась в Москве, в безопасности и неведении.

Прилавок с сувенирами существовал и работал. Лина ахала, восхищалась, накупила массу забавных вещиц, улыбалась дородной продавщице и не могла налюбоваться на маленького домового, совершенно точно, как заверила торговка, приносящего любовь и деньги.

— Уезжай отсюда, — прошептала Тамара в ухо Филину. Высвободилась из его объятий и громко повторила: — Уезжай. Сейчас же.

— Тебе не нравится это место? — засмеялся он, показав рукой на разогретый солнцем асфальт дороги.

— Прекрати! — разозлилась Тамара. — Тебе надо немедленно отсюда сваливать. Тебя ищут, понимаешь?

— Нет, — опять засмеялся Филин и даже потряс головой, объясняя, насколько не понимает.

— Ты меня за дуру держишь, да? — зашипела от ярости Тамара.

— Что ты, что ты, — испугался он. — По-моему, ты очень умная. Исключительно. Просто академик.

Он ничего не боялся, Тамара это чувствовала. Ему было весело, и она тоже засмеялась:

— Слушай, как тебя зовут?

— Владимир, — после едва заметной заминки он сказал правду.

Свое имя Филин ненавидел. Когда рос, его изрядно доставали анекдоты про Вовочку. А вот фамилию любил — Савицкий. Сначала Володя Савицкий стал для дворовых и школьных приятелей Совой, а потом как-то незаметно Филином. И в училище он был Филином, и потом, в самые свои сложные. годы.

— Так кто меня ищет? — уточнил он.

— Правоохранительные органы, — буркнула Тамара.

— Надо же! — покачал он головой. — И какого лешего я им понадобился, не знаешь? Я добропорядочный бизнесмен. Законопослушный. Не такой богатый, конечно, как твой Овсянников, но и не бедный.

— Володя, кончай. — Тамара вдруг почувствовала, что очень устала. Смертельно. — Зачем ты сюда приехал? Зачем тебе нужен Овсянников?

— Поговорить. А ты что подумала, золотце?

— Не смей меня так называть! Я тебе не золотце, — закричала Тамара. От усталости, от обиды, вопреки природной осторожности она призналась: — Я все о тебе знаю.

— Да что ты! — удивился он. — А я всегда считал, что человек и сам себя до конца не знает.

— Послушай... — Нужно было замолчать, но она не остановилась. — Моя мама торговала на рынке. Короче, я тебя там видела. Я все про тебя знаю.

— Я ходил на рынки, это правда. Лет десять назад. У меня тогда на магазины денег не было, а еду и одежду требовалось где-то покупать. А что, не стоило?

— Володя, уезжай. Уезжай отсюда, — жалобно попросила Тамара. Если его убьют, она останется совсем одна. Сергей хочет отбить Лину у мужа, а она, Тамара, никому не нужна.

— Послушай, зо... Томочка...

— Откуда ты знаешь, как меня зовут?

— Я много чего знаю. — Он полез в бардачок, достал солидную визитку, сунул ей в руку. — Я мирный бизнесмен. Но у меня здесь дела, и тебе придется пробыть со мной до вечера, извини. Есть хочешь? Можно в ресторан заехать, тут недалеко. Ресторан, правда, для дальнобойщиков, но кормят хорошо. Хочешь?

— Нет, — буркнула Тамара, разглядывая визитку. ООО... Генеральный директор... Она сама могла напечатать стопку таких визиток.

— У меня нормальный бизнес, — вздохнул он, посмотрев на нее с жалостью. — Бензозаправки и торговля при них.

«Фольксваген» мягко тронулся, Тамара продолжала разглядывать визитку, как будто маленький кусочек бумаги мог сказать ей правду.

— Николай Иваныч, — предложила Лина. — Давайте в библиотеку зайдем, я с Антониной Ивановной попрощаюсь. А то уеду не попрощавшись, нехорошо выйдет.

— Давай зайдем, — кивнул тот. — Отчего же не зайти.

Сегодня за стойкой сидела сама заведующая, обрадовалась, засуетилась, усадила их пить чай с пирогами собственной выпечки.

— Что за суета такая в городе, Николай? — спросила Антонина Ивановна. — Полиция везде, военные. Не знаешь?

— Нет, — соврал Николай Иванович.

— Ну, если не знаешь, я тебе скажу, — усмехнулась проницательная бабушкина подруга. — Говорят, на Овсянникова нашего покушение готовят. Неужели не слыхал?

— Ничего от тебя не скроешь, Тоня, — засмеялся Николай Иванович. — И кто же говорит?

— Люди, конечно. Это правда?

— Не знаю, — признался Николай Иванович. — Возможно, что и правда.

— Почему возможно? — удивилась Лина. — Вы сомневаетесь, что киллер существует?

— Конечно, — теперь уже удивился Николай Иванович. — В Овсянникова пока никто не стрелял. Если бы стреляли, сомнений не было б. Что-то могло почудиться Томе, что-то мне, что-то еще кому-нибудь, а на самом деле всему этому может быть совсем другое объяснение.

— Какой Томе? — встрепенулась Антонина Ивановна.

— Тамару Ропкину помните, мою подругу? — спросила Лина.

— Томка сейчас работает в областном городе, — перебил Лину Николай Иванович. — Что-то где-то подслушала, что-то где-то разузнала и приехала сюда спасать Сережку Овсянникова от киллера.

— Чудеса...

— Чудеса, — согласился старый милиционер. — Вот хочу Лину сегодня в Москву отправить.

— Правильно. Уезжай, Линочка. Жалко, конечно, что так мало побыла, но головой рисковать ради чьих-то денег — это полный идиотизм.

— Почему ради денег? — засмеялась Лина.

— А ради чего же? Его же не из ревности укокошить хотят.

— Антонина Ивановна, ну что вы такое говорите!

— Да нет, я ему, конечно, добра желаю. И благополучия. Но ведь он взрослый человек, знал, на что идет. Клаву мне жалко гораздо больше.

— Она, к счастью, к сестре уехала. Наверное, ничего не знает.

— Слава богу. Кстати, — спохватилась Антонина Ивановна. — Помнишь, в прошлый раз ты меня про Леню Ковшова спрашивала? Которого убили лет десять назад?

— Восемь, — поправила Лина. — А вы что-то узнали, да?

— Узнала. Оказывается, у нас в библиотеке его сестра работает, двоюродная. Таня. Хорошая девочка. Она сегодня выходная, я ее заменяю.

— И при бабушке она работала?

— Нет. Ей чуть за двадцать, при бабушке она еще в школу ходила. Таня видела, как ты ксерокс делала, стала у меня про тебя расспрашивать. Она решила, ты журналистка, хочешь старое убийство расследовать. И самое интересное: она очень боится, что убийство действительно будет раскрыто.

— Что? — не поверила Лина.

— Представь себе! Ладно, не буду вас больше интриговать, слушайте. Леня Ковшов рос двоечником и хулиганом. Дурак и оболтус, короче. Настоящий классический бандит. Хотя к матери относился хорошо, по дому ей помогал и в деньгах не отказывал. К двоюродной сестре, кстати, тоже хорошо относился, купил ей крутой велосипед, какого ни у кого не было. Парнем он был не слишком красивым, но тем не менее девчонкам нравился. И у одной из них через пять месяцев после трагической гибели Ковшова родился ребенок. Сын. И вот тут начинается самое интересное.

— Антонина Ивановна, не томите.

— Одинокой мамаше кто-то начинает переводить деньги. Не помногу, но и не совсем мало. Во всяком случае, эта мамаша имеет возможность до сих пор не работать. В роскоши не купается, но и не бедствует. Николай, ты как думаешь, кто больше всего подходит на роль отправителя денег?

— Глупости! Овсянников Ковша не убивал. Я это знаю точно, Тоня.

— Ну так по его указке могли убить. Не знаешь, что ли, как это делается.

— Я-то как раз знаю. И потому еще раз тебе говорю, Овсянников здесь ни при чем. Я сам проверил каждого из его людей. Каждого!

— Деньги приходят по почте? — уточнила Лина.

— Сначала приходили по почте, — кивнула Антонина Ивановна. — А потом мамаше кто-то прислал банковскую карточку, и теперь она получает свое пособие, как и все трудящиеся, на счет.

— Так, может, труп был вовсе не Ковшова? — предположила Лина. — Я читала, что утопленника трудно опознать.

— Не болтай ерунды, — разозлился Николай Иванович. — И ты тоже, Тоня. Вы что, милицию совсем за дураков держите? Труп был Ковша, и Серега Овсянников его не убивал.

— А почему Таня не хочет, чтобы убийство раскрыли? — не поняла Лина. — Из-за денег?

— И из-за денег тоже. Она двоюродного племянника любит и хочет, чтобы мальчик рос в достатке. Но, я думаю, дело не только в этом. Ее двоюродный братец был настоящей сволочью, на беременной девушке жениться не собирался, хоть будущая мамочка на это рассчитывала. И если бы он остался жив, едва ли стал бы ей помогать растить сына. А есть человек, который помогает, и девушке Тане просто его жалко. Но и это не все — она, как и каждый местный житель, понимает, что если бы тогда к власти пришел ее братец, у нас была бы вторая Кущевская.

— Ну это вы преувеличиваете, — возразила Лина. — Кущевская от Москвы далеко, а вы близко. Москва у себя под боком такого безобразия не потерпела бы.

— Кущевская тоже не слишком далеко при нынешних-то средствах связи, — заметил Николай Иванович. — Дело не в расстоянии, дело в людях. Кому-то в Москве была нужна Кущевская, вот и все.

— Ну, как бы там ни было, — сказала Антонина Ивановна. — Я, в отличие от Тани, считаю, что за любое убийство надо отвечать по закону. За любое.

Николай Иванович промолчал. Теперь он знал, что Полина, в отличие от своей подруги, считала совсем иначе.

Через два часа стало ясно, что белого «Фольксвагена» в городе нет. Существовал вариант, что машину спрятали в каком-нибудь гараже или за высоким забором, но Сергей Михайлович склонялся к тому, что джип из города выехал. Номер и марка машины были переданы постам ГАИ за городом, но Сергей на них рассчитывал слабо: дорог, хоть и не очень хороших, много, а постов ГАИ мало. На «Фольксвагене» и осенью по нашему бездорожью проедешь, а летом и подавно.

Сергей Михайлович в который раз мысленно попросил Бога, чтобы за рулем машины, куда села Тамара, оказался все-таки не Филин, или как его там, и в который раз почувствовал уверенность, что она села именно к Филину.

Сам Сергей на месте Филина машину спрятал бы в лесу, не стал бы рисковать, ведь понятно, что на первом же посту остановят. Киллер наверняка не глупее его. Сергей постарался сосредоточиться на карте, которую все время тупо рассматривал на экране ноутбука. Карта была генштабовская, очень подробная, Сергей достал ее с большим трудом и очень этому радовался. Только ему в голову не приходило, что придется ее использовать по прямому назначению.

Мест, где можно надежно укрыть машину, в здешних лесах достаточно. И все-таки удобнее это сделать по другую сторону железной дороги: проще забирать, не придется опять ехать через город.

Сергей Михайлович отъехал на кресле от стола, достал мобильный, набрал Влада и уже через пятнадцать минут ждал на переезде, уставившись в окно джипа, когда пройдет бесконечный товарный поезд.

Впервые он убежал на железную дорогу, когда ему было пять лет. Тогда он как завороженный смотрел на проходящие поезда, пока мама его не разыскала и не отволокла домой за ухо. Сейчас он вспомнил тот случай так ясно, как будто это произошло вчера, а не сто лет назад. Потом мама долго ругалась, а он ей обещал, что близко не подойдет к рельсам. Подходил, конечно.

Сначала он очень хотел стать машинистом, потом собирался поступать в железнодорожный институт. Не потому, что к тому времени он бредил железной дорогой, просто поступить туда казалось проще, чем в какой-то другой вуз. Полина Васильевна его отговорила. Доказывала, что у него явная склонность к математике и технике, и цели себе нужно ставить высокие, а трудностей не бояться. Она оказалась права, экзамены в один из лучших вузов страны он сдал блестяще. Впрочем, когда ему пришло время поступать в институт, желающих получить техническое образование почти не было.

— Куда? — покосился на Сергея Влад. Поезд наконец-то прогрохотал, шлагбаум пополз вверх.

— Давай до развилки, все равно раньше свернуть некуда.

Слева тянулись заливные луга, справа — заросшее травой поле. В последние годы поле зарастало травой все больше, Сергей уже не помнил, когда в последний раз здесь колосилась пшеница. Или не пшеница, а что-то другое? Сейчас по полю вяло передвигались несколько коров. Скотину отдельные фермеры еще держали, а вот земледелием уже давно никто заниматься не хотел. Невыгодно.

— Останови-ка. — Сергей заметил сидевшую в траве парочку. На девушке был венок из ромашек, он с детства не видел венков на девушках.

— Ребята. — Сергей вышел из машины, сильно хлопнув дверью, и поморщился — обычно он бережно относился к технике. — Вы здесь белый «Фольксваген» не видели? Джип.

— Был белый джип, — кивнул парень и обнял свою подругу, как будто та нуждалась в защите от Сергея. Вблизи было видно, что ребята совсем молоденькие, школьники, не иначе.

— Они здесь стояли, — показала вперед рукой его подружка. — Сначала девушка из машины вышла, потом опять залезла. Они постояли и уехали.

— Брюнетка? С черными волосами? — Сергей пожалел, что у него нет фотографии Тамары.

— Угу. Красивая такая. — На носу девушки явно выступали веснушки, и это придавало ей умилительный вид.

— А поехали куда, не видели?

Девушка покачала головой, а парень задумался, потом уверенно сказал:

— Направо. На Осипово.

— Давно это было?

Теперь плечами пожали оба. Для них не существовало времени, это у Сергея Михайловича времени было в обрез.

Машина тронулась, а парочка почему-то долго смотрела ей вслед.

— Да бизнес у меня, бизнес, — засмеялся Филин, покосившись на Тамару. — Что ты в визитку уставилась?

— Зачем тебе нужен Сергей?

— Сказал же, поговорить надо.

— О чем?

— О деле.

— Володя, уезжай, — жалобно проскулила Тамара.

— Зо... Томочка, я сам решаю, что мне делать. — Он остановил машину у небольшого дома, стилизованного под русскую избу. — Не проголодалась?

— Нет, — она покачала головой.

— Я сейчас. — Он вышел из машины и скрылся за деревянной дверью.

Правильно было бы выскочить вслед за ним, позвонить Сергею или в полицию. Или он в самом деле бизнесмен? Тамара поерзала, устроилась поудобнее, закинула руки за голову.

Филин вернулся быстро, сунул целлофановую сумку на заднее сиденье, аккуратно тронул джип с места.

— Я бизнесмен, Тома. И у меня здесь дела. Извини, но тебе придется побыть со мной до вечера. Сейчас я тебя никуда отвезти не могу. На речку хочешь?

— Почему ты меня не можешь сейчас отвезти?

— Потому. Так хочешь на речку?

— Ничего я не хочу, — буркнула Тамара.

Он все-таки поехал к реке. Место выбрал удачное, незаметно укрыл машину за густыми ивами. Где-то в зарослях пел соловей, он замолкал, когда Филин попытался его разглядеть.

Тамара выбралась из машины, потянулась, покосилась на Филина. Подумала и сбросила одежду, оставшись в одном белье. В купальнике было бы лучше, но и так сойдет. Он достал из багажника легкое одеяло, заботливо постелил, похлопал — располагайся. Тамара растянулась на пледе, он уселся рядом на траву.

— А раньше ты кем был? До бизнеса?

— Офицером, — помедлив, признался он.

— И что же тебе в армии не служилось?

Действительно, что же ему не служилось в армии?.. В армии он видел столько дерьма и подлости, что на десять жизней хватило бы. Впрочем, дерьма и подлости на гражданке он видел ничуть не меньше. Правда, на гражданке не продают оружие бандитам. Не используют солдат как рабскую силу. И еще много чего не делают...

— Я ушел из армии в девяностых. Тебе все понятно?

Тамаре было понятно. Он сидел к ней спиной, но она понимала, что говорить ему трудно. Неожиданно ей захотелось прижаться к его спине, обнять Филина и замереть.

— А знаешь, почему я в военное училище пошел?

Тамара покачала головой — нет, но он этого не видел.

— Потому что там можно жить на всем готовом, кормили, форму давали. А дома у меня предки по полгода зарплату не получали. И не потому, что алкаши какие-нибудь... Нормальные люди, отец на заводе работал, мать учительница.

— Да знаю я это все, — буркнула Тамара. Желание прижаться к его мускулистой спине не проходило, раньше за ней такого не водилось. Уж как любила Ивана, а обнимал ее всегда он, не она его. — Всем было плохо. И тогда ты пошел в бандиты?

— Я пошел в бизнесмены, — поправил он, засмеялся и наконец повернулся к ней лицом: — Как все.

— Понятно, — усмехнулась она. — Сначала все пошли в бизнесмены, потом в депутаты. А ты почему в депутаты не пошел?

— Рылом не вышел.

Она щурилась на солнце, но это совсем ее не портило. Он улыбнулся, до вечера далеко, он может еще долго ею любоваться. Он уже знал, как приятно на Тамару смотреть.

— Почему у тебя сегодня другая машина?

«Тойоту» пришлось менять из-за нее, из-за Тамары, она отлично это понимала. Поначалу он этого делать не планировал и вторую машину пригнал просто на всякий случай. Вчера ему очень хотелось оставить черную «Тойоту» во дворе купленного в ближайшей деревне дома, но он не рискнул — удачно утопил ее в реке, спустив с высокого берега. Дом — настоящую развалюху за отличным высоким забором — он купил еще месяц назад за сущие копейки и всерьез подумывал привести его в порядок. Деревня почти вымерла, а его дом вообще стоял у самого леса, не место — благодать.

— Мотор забарахлил.

— У «Тойоты» забарахлил мотор?!

— Представь себе. — Он протянул руку и легонько щелкнул ее по носу. — И вообще, я человек обеспеченный, могу позволить себе менять машины.

Природная осторожность шептала, что она играет с огнем, но Тамара шевельнулась и ткнулась лицом в его руку. Правда, он быстро ее убрал.

— Антонина Ивановна, — вспомнила Лина, — вам бабушка ни про какую тележку не говорила?

— Про какую тележку? — не поняла старушка.

— Я посмотрела ее старый ежедневник, одна страница вся исписана этим словом. Не знаете почему?

— Нет, Линочка.

— Да мало ли что можно написать просто так, в задумчивости, — заметил Николай Иванович. — Какой-нибудь психолог тебе объяснил бы, что это означает.

Как же он не догадался просмотреть Полинин ежедневник... Если бы увидел исписанную страницу, не пришлось бы теперь смертельно бояться за Лину.

— Точно, — подхватила Антонина Ивановна. — Меня психологические тесты просто потрясают: если вы выбираете квадрат, значит, вы умны и коммуникабельны, а если круг — еще какая-нибудь глупость.

— Но, как ни странно, — улыбнулась Лина, — эти тесты иногда бывают очень точными.

— Да ну тебя, — отмахнулась завбиблиотекой. — Не смеши. Примитив и халтура и больше ничего.

— Антонина Ивановна, — не стала спорить Лина, — вы не помните, что все-таки было на фотографиях, которые вам бабушка пыталась показать с фотоаппарата? Мы с Николаем Ивановичем его нашли, но он сломан, к сожалению.

— Не помню, Линочка. Не разглядела. Окошечко в фотоаппарате маленькое, а я без очков плохо вижу. Думаю, бабушка тоже мало что могла разглядеть, даже в очках.

— Тоня, — вздохнул Николай Иванович, — народ совсем в библиотеку не ходит? На электронные книги перешли? Мы уже больше часа сидим, а ни одного читателя.

— Ходят люди, представьте себе. Это сейчас середина рабочего дня, жара, вот и нет никого. А по вечерам и в выходные читателей много. Не как раньше, конечно, но ходят люди.

— А что читают?

— Все читают. И журналы, и классику, и муру современную. Но молодежи мало, все больше пенсионеры. И те, кто вот-вот на пенсию выйдет.

Лина слушала стариков, рассеянно поглядывая в окно. Павел не звонил, от этого становилось тоскливо и одиноко даже рядом с абсолютно надежным Николаем Ивановичем. Словно откликаясь на ее мысли, в кармане заиграл телефон, но это оказался не Павел, а свекровь, и Лина с удивлением обнаружила, что совсем забыла про Стаса и про всю свою прежнюю жизнь.

— Да, Екатерина Федоровна, здравствуйте, — выйдя в соседнюю комнатку, откликнулась Лина.

— Здравствуй, Линочка. Что у вас случилось, девочка? Стасик звонил совершенно убитый, я даже толком ничего не поняла. Что случилось, дорогая моя? Вы поссорились?

— Нет. Екатерина Федоровна, мы не ссорились, но я хочу подать на развод.

— Господи! Бог с тобой, почему? Что вдруг произошло?

— Это не вдруг. Может быть, со стороны это было не заметно, но мы плохо жили все эти годы. У нас все время была одна сплошная ссора.

— Перестань, Лина, — устало запротестовала свекровь. — Ну что ты выдумываешь? Я своего сына знаю, характер у него нелегкий, это верно, но главное же не это. Главное, что он тебя любит, и ты его любишь. Ну разве можно из-за ничего сломать две жизни. Если он тебя чем-то обидел, скажи ему. Ну... отругай, в конце концов. Но не разводиться же.

— Екатерина Федоровна, мы оба были несчастны. У нас не было дома, правда. Ни у меня, ни у него. Люди идут домой отдыхать, а мы шли на поле боя отношения выяснять. И это каждый день. Зачем так жить? От этого всем только плохо.

— Ну и не надо ссориться. Нужно все время помнить о том, что вы друг друга любите, а все остальное не имеет никакого значения. Стас не самый плохой человек, Линочка. Ты вспомни, он же всегда тебя жалел. Разве он когда-нибудь заставлял тебя, например, встречать его горячим обедом? А ведь это первейшая обязанность жены...

— Стас хороший человек, Екатерина Федоровна, и я это знаю. Он умный, честный и порядочный. Но... у нас жизнь не сложилась. Поверьте мне, всем будет лучше, если мы разведемся.

— Не понимаю. Лина... — Свекровь помедлила. — У тебя есть другой?

— Не в этом дело. Нам давно следовало развестись, мы только треплем друг другу нервы. У нас самый невинный разговор перерастает в ссору, и так каждый день. Понимаете, Екатерина Федоровна, каждый день...

— Так у тебя другой, Лина? — требовательно уточнила свекровь.

— Да, — устало согласилась Лина. — У меня другой.

В придорожную избу-ресторан Сергей заглянул, не надеясь узнать что-то новое. Ездить по дорогам вообще глупо, он это понимал, и Влад тоже, но сидеть в городе не было никаких сил.

Как он будет жить, если Томку убьют, а он даже не успеет ей сказать, что на самом деле Лина ему совсем не нужна? Что на него нашло в соседском саду?

С Линой ему разговаривать легко, это верно, как когда-то было легко говорить с ее бабкой. Ему казалось, что Лина, как и Полина Ивановна, понимает его почти без слов. С Тамарой — да, действительно, каждый раз приходилось словно опускаться на какой-то другой уровень, не на тот, что с мужиками в пивной, конечно, и не тот, что со слесарем Демьянычем, но все-таки вниз. Ну и что? Несмотря на это, Томка своя, близкая, понятная, а Лина — чужая. И на самом деле он никогда бы не стал отбивать ее у мужа.

Он пытался найти слова, чтобы объяснить это Томе, не находил и пугался, что объяснить не сможет, он жестоко ее обидел, и ей придется жить с этой обидой, а он перед ней и перед собой окажется законченным подлецом.

Столиков в ресторане оказалось всего три, Сергей удивился, что накрыты они на удивление белоснежными скатертями. А посетителей не наблюдалось вовсе. Вообще все в этой крошечной избенке было на удивление чистым, опрятным, каким-то пряничным, как в сказках братьев Гримм. Думать про братьев Гримм ему было неприятно, потому что сказки ему давала читать Полина Васильевна, а сейчас ему больше всего хотелось забыть о ней навсегда. О ней и о похожей на нее внучке.

— Девушка. — Он хотел улыбнуться подскочившей официантке, но не смог. — К вам сегодня пара не заглядывала? Девушка не заглядывала, темненькая такая?

Девушкой официантку назвать было трудно, тетке сорок как минимум. Впрочем, ему самому сорок, а он все считает себя молодым.

— Нет, — пролепетала тетка. Приветливая улыбка, по-настоящему приветливая, не заученная, как у барменов в кино, сменилась таким испугом, что Сергей официантку пожалел. Не иначе как она его узнала, его фотографии часто мелькали в местной газете. А может, и живьем видела, город-то маленький.

— А кто заходил сегодня? — Он постарался говорить помягче, но и это ему не удалось. — После двенадцати?

— Так... никто. Ой, парень заходил, мужчина то есть. Но он обедать не стал, пирожков купил. Горячих. Воды минеральной три бутылки...

— Какой мужчина? — Ему хотелось потрясти несчастную бабу, а еще больше — шарахнуть кулаком по столу с чистой скатертью. — Как выглядел? Как одет?

Странно, но, когда он по-настоящему разозлился, тетка словно проснулась, бояться перестала и заговорила вполне уверенно:

— Симпатичный такой. Лет тридцать. Одет хорошо, дорого. Бумажник тоже дорогой, и денег в нем целая пачка. Москвич, похоже.

— Почему москвич?

— Говорит так... по-московски. Пирожков дайте мне с собой, пожалуйста, сказал. Наши так не говорят. Наши...

— На чем он приехал? — перебил ее Сергей.

— Не знаю, не видела, — потрясла головой официантка и крикнула: — Ринат!

Из боковой двери выглянул испуганный парнишка, черноволосый, худенький, и Сергей подумал, что регистрации у парня, скорее всего, нет.

— Ты не видел, на чем мужчина приехал, который у вас пирожки купил? — Парень вызывал такую острую жалость, что делать над собой усилие, чтобы не заорать на него, Сергею не пришлось.

— Часа два назад, — подсказала парню тетка.

— Машина белая, — подумав, ответил тот. Говорил он спокойно, степенно и совершенно без акцента. Есть регистрация, решил Сергей. — Марку не знаю. Иностранная.

— А девушку ты не видел? — Сергей почувствовал, что голос его совсем охрип. — Девушка была в машине?

— Была, — с любопытством посмотрел на него парнишка. — Этот мужчина сел в машину, они еще поговорили, только потом поехали.

— Куда?

— На трассу. А куда потом, отсюда не видно. Официантка тоже смотрела на Сергея с любопытством, и он подумал, что дал им пищу для разговоров на всю сегодняшнюю смену.

— Если машина опять появится или человек этот придет, позвоните мне, пожалуйста, — попросил Сергей, протянув визитку.

Тетка с парнем закивали. Он спустился с крыльца к машине, открыл дверцу, передумал, шагнул к ближайшему тополю и ударил кулаком в ствол. Содранная кожа засаднила, а дерево даже не качнулось.

Солнце пекло нещадно. Обгореть Тамара не боялась, ее смуглая кожа не слишком чувствительна к вредным ультрафиолетовым лучам, а вот загореть неровно, некрасиво, чтобы плечи или спина стали намного темнее остальных участков тела, она не хотела. Двигаться было лень, но она встала, перетащила одеяло в тень. Филин подскочил, заботливо разгладил складки, как муж-подкаблучник.

— Ты женат? — Тамара снова улеглась.

— Нет. — Он тоже передвинулся в тень, уселся на траву.

— Почему?

— Не встретил свою судьбу, — серьезно ответил он.

— Ну ты даешь, — усмехнулась Тамара. — Если бы все судьбу искали, человечество давно вымерло бы.

— А при чем тут все? Ты же меня спросила, а не всех.

После того как она уткнулась ему в ладонь, с ним что-то произошло. Он давно видел ее насквозь, понимал, что она циничная и хваткая, а таких баб Филин не любил. Только почему-то сейчас ему очень хотелось защитить Тамару, несмотря на весь ее цинизм и житейскую хватку. Он понимал, что она способна устроиться в жизни лучше любого другого, даже лучше его самого, но желание защитить не проходило.

— Выходит, ты романтик.

— Выходит, что так.

— Тебе бы на Линке жениться.

— Кто это — Линка?

— Моя подружка. Ты ее видел. Ты же следил за нами, да? Кстати, зачем ты за нами следил, если ты простой бизнесмен?

— Не хотел, чтобы ты встретилась с Овсянниковым раньше меня. Ты могла бы ему напеть чушь, которая засела у тебя в башке, а мне потом расхлебывать, — равнодушно объяснил он, поднял валявшуюся рядом сосновую шишку и бросил ее далеко в воду. — Я не хочу жениться на твоей подружке, я собираюсь жениться на тебе.

— Что?! — ахнула Тамара, потому что говорил он серьезно, и она не могла этого не почувствовать.

— А что, — засмеялся он, повернувшись к ней. — Девка ты красивая, видная. Опять же сама мне на шею вешаешься, на цветы тратиться не придется.

— Ты мне делаешь предложение?

— Угу.

— Ты не смеешься?

— Нет.

— Ты знаешь, Володя. — Тамара села, чтобы лучше его видеть. — Мне никто никогда не делал предложения. Я мужиков всегда сама выбирала, я даже не знала, что это так здорово.

Она отлично понимала, что говорить этого мужикам нельзя, а также что цену себе надо только набавлять, но сейчас ей было на это наплевать. Ей было так хорошо рядом с мутным и опасным Филином, что она словно перестала быть расчетливой Тамарой, а стала незнакомой глупой девчонкой. Вроде Ленки, секретарши Овсянникова.

— Но... — сказала она чистую правду, — я с детства мечтала выйти за богатого.

— За олигарха? — уточнил он.

— Не обязательно. Просто хочу, чтобы мне все завидовали, а я никому.

— Ну...— протянул он. — Так не бывает. Даже у президента кончается срок.

— Ну и что, — капризно надула губы Тамара, зная, что это ей идет. — Хотеть-то можно...

— Ну хоти, — разрешил Филин.

Он опять от нее отвернулся, а ей захотелось прижаться к его спине. Идиотизм... Тамара сощурилась на солнце сквозь неплотную листву и улеглась поудобнее.

— Притормози-ка, — приказал Сергей Михайлович Владу. Впереди вдоль дороги вышагивали две девчонки в таких обтягивающих шортиках, что стало за них неловко. — Шлюхи?

— Похоже.

— Вот... — выругался Сергей. Вроде бы он делал все, чтобы занять молодежь, восстановил бывший Дом культуры, оплачивал бесплатные дискотеки, не позволил закрыть ни одного колледжа, а с проституцией так и не справился. Охочи девочки до легких денежек, у станка стоять не желают, за прилавком тоже.

Девчонки оказались совсем молоденькими, наверняка школьницы. Одна что-то лениво жевала, разглядывая Сергея Михайловича равнодушным взглядом. Он цену такому равнодушию знал, понимал, что она сразу оценила и его машину, и рубашку, расстегнутую по случаю жары почти до пупа. Рубашку эту он случайно купил в Москве, в ЦУМе, болтаясь по столице между двумя важными встречами. Сорочка стоила столько, что даже он растерялся, а его поразить очень трудно.

Вторая девочка казалась более живой, открытой, Сергея и Влада оценивала весело, и, похоже, оценкой осталась довольна.

— Здравствуйте, девочки. — Сергей постарался улыбнуться, хотя девки злили его здорово. — Давно гуляете?

— А что? — процедила ленивая, похоже, в этой паре она была ведущей.

— Машину белую не встречали? «Фольксваген»? — Видеть эту девчонку ему было противно, и он смотрел мимо.

— Нет, — покачала головой та, что поживее.

— А вы здесь давно... прогуливаетесь?

— Давно, часа два, — вздохнула живенькая, поняла, что проболталась, и куснула губки.

Теперь и на эту Сергею стало противно смотреть, и он уставился на отцветающий клевер вдоль дороги.

— Почем женские услуги нынче, девочки? — Влад вылез из машины, улыбнулся.

— Вы... вы что?! — попыталась обидеться ленивая.

— Да ладно, — засмеялся Влад. — Вы нас уж совсем-то за дурачков не держите.

— Влад, кончай. Дядя шутит, девочки, — усмехнулся Сергей Михайлович. — Мы малолетками не интересуемся.

Девки ему опротивели, он понимал, что ни в чем они не виноваты, родились дурами у таких же дур, а все равно неприятно, как будто ему не сорок, а столько же, сколько этим, в шортиках. Как будто он не встречал в жизни столько мерзости, что давно должен удивляться как раз ее отсутствию.

— Я вот чего не пойму, — не унимался Влад. — Вам что, на хлеб не хватает? Что вы себе жизни-то портите? Про опасность вашей работы я говорить не стану, вы ее лучше меня знаете. Я про другое. Я вот никогда бы на шлюхе не женился, и никто в нормальном уме не женится. Зачем вам это? Ну, погуляете вдоль дороги лет десять, а потом что?..

Девчонки стояли молча, глаза у них стали совсем пустыми, даже у той, что вначале казалась более живой. Влад махнул рукой, уселся рядом с Сергеем и заговорил, когда они уже подъезжали к городу.

— Серега, я думаю, надо по реке прокатиться.

— Считаешь, он ее на пикник повез? — усмехнулся Сергей Михайлович.

— Если он время тянет, самое милое дело у реки перекантоваться.

— Ну давай, — равнодушно согласился Сергей. — Найдешь лодку?

— Найду, ясное дело.

В кабинете было прохладно, с улицы даже показалось, что холодно. Сергей Михайлович сел за стол, рассеянно посмотрел на портрет Полины Васильевны.

— Лена! — крикнул секретарше.

— Да, Сергей Михайлович. — Возникнув в проеме, она взглянула на него с сочувствием.

— Иди домой.

— Но...

— Иди. Я все равно сейчас уеду.

Лена помялась, переступила ногами и тихо исчезла, плотно прикрыв за собой дверь.

Он протянул руку, легко сломал деревянную рамку, вынул старую фотографию и тщательно порвал ее на мелкие кусочки.

Домой Николай Иванович повел Лину вдоль железнодорожных путей. Дорожка под липами казалась ровной, словно вычерченной. Лина сорвала соцветие донника, растерла в руках, наслаждаясь, вдохнула запах.

— Как трава называется, знаешь? — покосился на нее Николай Иванович.

— Конечно.

— Бабка твоя все травы знала. А нынешняя молодежь скоро ольху от березы отличать разучится.

— Данные в фотоаппарате сохранились, да, Николай Иванович? — не глядя на него, спросила Лина.

Он растерялся, никак не ожидал такого поворота. Сказать «нет» не успел, а потом стало уже поздно, она все поняла правильно. Допрашивать он умел, а самому быть допрашиваемым не приходилось.

— Там изображено что-то у тети Клавы в саду? Ковш, который погиб в тот день? Да?

Он не ответил, собираясь с мыслями.

— Я только не пойму, при чем тут тележка, — не унималась Лина. — Тележка тоже была на снимках?

— Это не важно... — наконец обрел он дар речи. — Как ты догадалась?

— Я же не совсем дура, — усмехнулась Лина. — Зачем бы еще вы понесли домой сломанный фотоаппарат? По дороге можно было его выбросить. И вообще... Меня обмануть трудно, я все-таки вас всю жизнь знаю. Значит, накануне смерти Ковш был у тети Клавы... До чего же кличка дурацкая, противно выговаривать.

— Черт с ней, с кличкой. Плохой я мент. — Он покачал головой. — Ковш у Клавдии был, а я этого не узнал. Ведь догадывался, полсотни человек, наверное, опросил, но не выяснил.

— Вы подозревали тетю Клаву?

— Ясное дело, подозревал. Верное решение всегда самое простое. Смерть Ковша была выгодна Сереге, кто же для него постарался, если не Клавдия? И дрянью человека опоить могли только врач или медсестра. Конечно, я Клавдию подозревал.

— Теперь давайте про тележку. — Лина опять сорвала веточку донника и растерла в руках.

— Ясно, что Клавдия бесчувственного Ковша не волоком на себе к реке тащила, она могла отвезти его только на тележке. Выходит, что бабушка твоя то ли, снимки разглядывая, Ковша заметила, то ли в натуре видела и вспомнила, но тоже поняла, что увезти труп можно только на тележке и никак иначе. На машине, конечно, проще, но машин на нашей улице в тот вечер не наблюдалось, это я проверил. Свою тележку Клавдия накануне ко мне привезла, у нее колесо отлетело, а я в тот же день починить не успел. Теперь выходит, была у нее еще одна тележка, о которой я не знал. На снимке ее хорошо видно. Думаю, она с тех пор в реке лежит.

С лугов пахло поздним клевером, таволгой, чем-то еще, терпким, почти неуловимым. Редкие облака на синем небе, какое бывает только летом, почти не двигались, словно им тоже жарко. Впрочем, сейчас Лине было не жарко, ей стало зябко и страшно.

— Когда бабушка умерла, вскрытие делали? — спросила она.

— Слушай меня внимательно. — Николай Иванович развернул ее к себе и легонько встряхнул за плечи. — Ты сегодня вечером уедешь в Москву...

— Так делали вскрытие? — Мягко высвободившись, Лина опять зашагала по ровной дороге.

— Конечно, делали, — устало вздохнул Николай Иванович. — И конечно, не искали ничего, кроме явной причины смерти.

Тогда ему не пришло в голову связать смерть Полины с убийством Ковша.

— Бабушка собралась напечатать фотки, но умерла, а фотоаппарат оказался разбит...

— Лина. — Он опять развернул ее к себе. — Ты сегодня уедешь в Москву, и я тебе обещаю, что виновные будут наказаны. Я обещаю, Лина.

— Я не поеду.

— Поедешь. Потому что я тебя об этом прошу. Понимаешь? Она не только твоя бабушка, она еще и мой близкий человек. И я должен покарать виновных. Я, понимаешь? Потому что я мужчина. Не путайся у меня под ногами и не доставай бабскими капризами. Ясно тебе?

Она ткнулась ему в грудь и тихо заплакала, а он, гладя ее по волосам, мечтал поскорее посадить ее в поезд. Ей смертельно опасно здесь оставаться.

— Ты долго еще пробудешь в городе? — Филин старался не смотреть на Тамару, уж очень хотелось снова ее поцеловать, прижать к себе.

— Нет. — Она перевернулась на бок, уставилась на него, подперев голову рукой. — Завтра домой уеду.

— А как же твой Овсянников?

— Овсянников на Линку переключился. — Тамара выпалила это раньше, чем успела подумать, что никогда никому до сих пор не рассказывала о своих сердечных неудачах, даже когда была совсем молодой и глупой.

— А... Так вот почему ты...

— Угу, — подтвердила Тамара. — Только ему ничего не светит, она другого присмотрела. Господи, ну почему же одним все дается, все, а другим...

— Так не бывает.

— Что? — не поняла Тамара.

— Так не бывает, чтобы одним давалось все, а другим ничего, — объяснил он. — Каждый получает то, что заслужил. Заработал.

— О-ой, — потрясла головой Тамара. — Кончай ты со своей китайской философией. Мы не китайцы. У нас одному пышки, а другому шишки.

— Линке твоей Бог каких пышек отмерил? Ты гораздо красивее, это я тебе как знаток женской красоты говорю.

— Почему знаток? — подозрительно спросила Тамара.

— Потому. Так что такое твоей подружке дано, чего у тебя нет? — Удивительно, но ему было действительно интересно с ней разговаривать. До сих пор он считал, что женщины служат только для одного-единственного, а всерьез разговаривать можно исключительно с мужиками.

— Много чего, — серьезно ответила Тамара, а потом рассмеялась. — Вообще-то, вроде бы ничего особенного ей Бог не отсыпал. Замуж вышла так... не очень. За какого-то инженера. Теперь разводиться собирается.

— Ну вот, видишь, — успокоил ее он. — Если внимательно посмотреть, Бог редко кому отсыпает пригоршнями. Успеха достигают собственными силами.

— А ты успеха достиг?

— Да. И еще большего достигну, когда на тебе женюсь. А я женюсь, ты не сомневайся.

Рука затекла, Тамара переменила позу, легла на спину и тут же опять повернулась, чтобы его видеть. Сейчас ей казалось, что из Линкиного дома она выбежала когда-то давным-давно, ей уже не было дела ни до Линки, ни до Сережи. Ну, почти не было.

— Тома. — Филин задумчиво обвел глазами противоположный берег. — Мне надо отъехать по делам. Видишь тропинку? Тут метрах в пятистах автобусная остановка, давай я тебя провожу. Автобус ходит часто.

— Не пойду я ни на какой автобус, я поеду с тобой.

— Нет, Томочка, со мной ты не поедешь. Так тебя проводить, или сама дойдешь?

— Володя. — Тамара вдруг испугалась, испугалась даже сильнее, чем когда думала, что он хочет ее убить. — Не уходи.

— Не могу. — Он наклонился к ней, легко дернув одеяло, чтобы она слезла с него, но Тамара вцепилась в его руки:

— Володя, не уходи.

— Перестань, — поморщился он. — Ну, хочешь, я тебя до города довезу?

— Ничего я не хочу! Я хочу, чтобы ты... Я не хочу, чтобы тебя убили!

— Ну что за глупости. — Он поднял ее, прижал к себе, а она продолжала цепляться за него. — Почему это меня должны убить?

Филин, стряхнув ее руки, аккуратно сложил одеяло, сунул его в багажник.

— Пирожки мы так и не съели. Оставить тебе?

Тамара затрясла головой — отстань со своими пирожками.

— А воду хочешь?

— Володя, не уходи!

— Я вернусь к тебе, — серьезно ответил он, задумался, шагнул к ней и даже не понял, что она обняла его первая.

Мотора машины стало не слышно, Тамара нехотя натянула одежду, посидела на траве, глядя на воду. Без Володи она показалась себе беспомощной, как ребенок, а быть беспомощной Тамаре не нравилось.

Нашарив рукой телефон в кармане брюк, она только теперь заметила, что звонок отключен — она выключила его еще вчера, когда Сережа наконец-то приехал, а слышать Ивана ей совсем не хотелось.

Сегодня Сергей звонил ей восемнадцать раз!

Что Бог ни делает, все к лучшему, решила Тамара, тыча в кнопки, а когда услышала радостное:

— Тома! Томочка! — тихо заплакала.

Нужно было ответить, а она пыталась представить, где теперь Володя, и молила Бога, чтобы тот его хранил. До сих пор она не молилась никогда и даже не знала, что умеет это делать.

— Сережа, — давясь слезами, прошептала Тамара. — Сережа...

Она так и сидела, сжимая телефон, и, только когда приехавший издерганный и счастливый Овсянников опустился перед ней на корточки, подумала, что все получилось очень удачно.

Он говорил все то, о чем она мечтала, и обнимал ее, как она мечтала, и прижимался колючей щекой, и она понимала, что сегодня Бог насыпал ей полный карман удачи. Она прижималась к Сергею благодарно и нежно, и тоже шептала какие-то подходящие слова. И крепко сжимала в кармане Володину визитку, боясь ее выпустить.

Визитку она все-таки незаметно выбросила, приоткрыв окно машины, когда они уже подъезжали к городу. В машине работал кондиционер, и Тамара быстро закрыла окно.

К своему деревенскому дому Филин поехал через лес. Дороги в лесу не было, но по сухой почве проехать никакого труда не составляло, а примерный путь он присмотрел заранее. Он всегда присматривал разные пути ко всем своим жилищам, даже когда в этом не было никакой необходимости.

Деревня, как обычно, казалась вымершей. Филин загнал машину во двор, с жалостью подумав, что и от этой тачки придется отказаться. В доме было прохладно, не зря наши предки строили деревянные избы. Филин открыл форточку, посмотрел на голый двор. Он не был любителем деревенской жизни, ему нравилась городская суета, шум, незнакомые лица вокруг и твердое ощущение, что никому нет до него никакого дела. Сейчас ему вдруг захотелось совсем дикого — пожить в деревне, каждое утро здороваться с любопытными соседями, есть ягоды с куста и ходить за грибами.

Он снял рубашку и брюки, аккуратно сложил их в большую сумку, туда же сунул очки с простыми стеклами, удачно менявшие его внешность. Очки ему больше не понадобятся.

От прежних хозяев осталось великолепное трюмо, старинное, ухоженное, мечта какой-нибудь разбирающейся в антиквариате дамочки. Филин уселся перед зеркалом, как заправская модница. Ему понадобилось около часа, чтобы полностью преобразиться.

Науку — или искусство? — преображения он постигал сам, этому его никто не учил. Прочел массу литературы, но до многого додумался сам. Он до многого додумался сам в своей опасной профессии, поэтому и жив до сих пор.

Вообще-то он уже давно отошел от этой профессии. Хватит, отстрелялся. Он бы и за этот заказ не взялся, если бы его не попросили люди, которым он не мог отказать. Он бы не прожил и трех дней, если бы имел глупость отказаться.

У него вполне легальный и прибыльный бизнес, он знает правила игры, никогда не перейдет дорогу тем, кому ее переходить нельзя, и не допустит, чтобы кто-то перешел ему.

Оставалось выполнить последнее задание.

Конечно, переполох после смерти Овсянникова начнется большой, кто-нибудь в самой Москве обязательно потребует найти виновных, и все кинутся искать, а кто-нибудь даже попробует связать это с ним и никогда не свяжет. У него легальный бизнес, у него дело к Овсянникову, для чего он и прибыл в этот город.

Обвинить его смогут, только если возьмут с винтовкой, а этого не будет никогда. Потому что он этого не допустит.

Новая внешность получилась удачной, из старого зеркала на Филина смотрел немолодой, покрытый татуировками байкер с умными насмешливыми глазами.

Ему хотелось покончить со всем этим поскорее. Ему надоело быть Филином и хотелось стать опять Владимиром Савицким и, может быть, в самом деле жениться на глупой, жадной и все понимающей Томке, терпеть ее капризы и время от времени ясно давать ей понять, кто в доме хозяин.

Мотоцикл, приобретенный всего неделю назад и тогда же наспех обкатанный, был не из самых дорогих, но и не совсем дешевый. От него, конечно, тоже придется избавиться, и, выводя стального красавца из ветхого сарая, Филин его заранее жалел. Володя Савицкий любил и ценил хорошую технику.

До леса Филин мотоцикл вел, поехал, уже скрытый деревьями. Ему казалось, что он не думает ни о чем, кроме предстоящего дела, но мысль, что бабы приносят несчастье, иногда проскальзывала, и он ее прогонял.

Время шло, и с каждой минутой Тропинин все больше чувствовал себя законченным идиотом. С дерева он давно слез, ходил кругами вокруг поваленного ствола, почти не таясь, и очень радовался, что никому даже не заикнулся о своей попытке поиграть в засаду. Он бы давно бросил надоевшее занятие, если бы не имел привычки все и всегда доводить до конца.

Эта привычка ему больше мешала, чем помогала. В детстве он, как дурак, исправно посещал кружки, в которые записывался иногда с подачи родителей, иногда друзей, и никогда не бросал неинтересное занятие посреди учебного года, каждый раз мучительно жалея потерянного времени. Время Тропинин умел ценить даже в детстве. Единственное, что потом помогло ему, так это знание английского. Английским родители мучили его начиная с первого класса, сперва находили каких-то репетиторов, потом записывали на курсы, а потом оказалось, что без знания языка он так легко никогда не овладел бы своей профессией и на нечастых переговорах с иностранными коллегами не чувствовал бы себя уверенно и достойно.

До шести, решил Тропинин. Подожду до шести. Ему еще нужно успеть в гостиницу за вещами и документами, купить билет, чтобы ехать вместе с Линой, да и просто показаться сослуживцам, поблагодарить за работу и отпустить всех из затянувшейся командировки.

На байкера, зачем-то усевшегося на траву около дорожки рядом со своим мотоциклом, Тропинин сначала не обратил внимания. Взрослых мужиков, тянувшихся к молодежному спорту, он не любил и не уважал и только все по той же привычке не бросать начатое остался за поваленным деревом. Время шло, байкер все сидел рядом с мотоциклом, Тропинин не шевелился, чувствуя, как сводит мышцы.

А потом все произошло очень быстро. Немолодой байкер тяжело поднялся, быстро, профессионально огляделся по сторонам, медленно шагнул к деревьям, и Тропинин понял, что он гораздо моложе, чем ему показалось. У поваленного дерева тот очутился почти мгновенно, опять быстро огляделся и спрыгнул в яму.

Тропинин еще сомневался, тот ли это, кто ему нужен, хотя по движениям уже узнал человека, следившего за домом Лины. У ямы с капканом Тропинин тоже очутился быстро, почти сразу, как услышал пронзительный вскрик.

Человек в яме, неловко вывернув руку, достал что-то тяжелое, Тропинин даже не сразу понял, что это пистолет, а когда осознал, не успел испугаться, только пожалел, что не сказал Лине, как сильно она ему нужна.

Тропинин, как мог быстро, упал на теплую землю, но это было ни к чему, потому что за громким выстрелом в яме что-то мягко упало, и Тропинин почему-то совсем не удивился, а только отметил, что все это похоже на сцену из фильма и оттого кажется ненастоящим и пошлым.

Он заставил себя подняться, тупо отряхнул колени и заглянул в яму, уже понимая, что там увидит. Человек на дне лежал боком, лица совсем не видно, зато видна окровавленная рана на затылке и кровь на неестественно вывернутой лодыжке, и Тропинин заторможенно отметил, что капкан он поставил грамотно. Стараясь не смотреть на окровавленный затылок лежащего, Тропинин спрыгнул вниз, приподнял руку, под которой оказался пистолет, и удостоверился, что пульса нет. Он зачем-то еще постоял на дне ямы, глядя на ствол ближайшей липы, и выбираясь на поверхность земли, решил, что стрелял киллер себе в рот, он бы на его месте поступил так же.

Тропинин достал телефон, сделал нужные звонки. Очень хотелось позвонить Лине, но он не стал. На окровавленное тело он старался не смотреть, курил, вдавливая окурки в землю.

Потом рядом оказались люди, он без интереса смотрел на найденную в яме винтовку, любовно и тщательно упакованную в небольшой чемоданчик, и объяснял что-то, и отвечал на вопросы, нехотя подыскивая слова, и все ждал, когда от него отстанут. Отстали, только когда прибыл Сергей Михайлович Овсянников и скупо его поблагодарил. Тропинин что-то отвечал и удивлялся, что все это произошло с ним в действительности, а не во сне.

К Лине Тропинин пришел совсем вымотанным, неохотно и путано рассказывал ей и Николаю Ивановичу про свои приключения, очень боялся выглядеть полным дураком и почти не обратил внимания, что Лина все-таки собралась уезжать, хотя необходимости в этом уже не было. Потом он долго суетился с билетами, пока не оказался с ней в одном вагоне и даже в свободном купе, и понял, что она опять спряталась в раковину, как перепуганная улитка, только когда поезд уже мерно стучал по рельсам.

День выдался слишком тяжелым и выматывающим, и Тропинин чувствовал, что очень устал и совсем одурел, и, глядя в избегавшие его синие глаза, ощущал себя совершенно обессиленным.

— Лина, что с тобой? — Он сел на сиденье рядом с ней и осторожно повернул ее к себе: — Что еще случилось? Лина!

В ней что-то сломалось, когда она поняла, что бабушку убили. Что ее убил человек, которого она всю жизнь считала почти родным. Лина опять напомнила себе, что это может быть ошибкой, но в ошибку не верила.

Когда Николай Иванович отнес домой сломанный фотоаппарат и она внимательным женским глазом это заметила и сразу же сделала правильные выводы, она была еще живой. И потом, разговаривая с Антониной Ивановной, была живой, а уже дома сделалась мертвой.

Она хотела сказать Павлу, что она мертвая, что у нее не будет никакой другой жизни, и поэтому он никогда не сможет быть с ней счастлив, но ей было так страшно остаться совсем одной, без него, что слова никак не произносились.

— Лина, — устало попросил он. — Ты скажи мне, что произошло. Скажи, потому что я все равно буду рядом с тобой, даже если ты меня прогонишь, только мне очень плохо, когда я не знаю, что тебя мучает.

— Не могу, Паша. — Она уткнулась ему в грудь, и он осторожно стал гладить ее по волосам.

— Почему?

— Не могу. Это не имеет к нам отношения. Потом.

— Ты боишься встретиться с мужем?

— Нет. То есть да, но нет.

— Доходчиво, — усмехнулся он.

Он не представлял, что станет делать со своей жизнью, если Лина опять спрячется в раковину, как улитка, и он будет ей совсем не нужен.

Он умрет от тоски, если Лина станет ему чужой. А если не умрет, собственная жизнь станет ему не нужной.

— Спасибо тебе за все, Паша. — Она вывернулась из его рук и посмотрела на него совсем близко, испуганно и жалко.

И тогда Тропинин понял, что никакие слова больше не нужны. Это его женщина и его жизнь.

— Не хочешь говорить, не говори, — он снова обнял ее, дотронулся губами до волос. — Все равно уже ничего нельзя изменить.

— Что нельзя изменить? — заинтересовалась она.

Тропинину показалось, что она немножко вылезла из раковины.

— Что я всегда буду с тобой,— терпеливо объяснил он. — Я всегда буду с тобой, ты выйдешь за меня замуж, я буду уезжать в командировки, а ты — меня ждать.

— Я не хочу, чтобы ты уезжал. — Лине сразу стало тоскливо и страшно от того, что она может остаться без него. Все-таки она живая, потому что мертвые не могут испытывать ни тоски, ни страха.

— Значит, я не буду уезжать, — легко согласился он.

Он боялся, что она начнет говорить о муже, о том, что ей еще нужно подумать, или о чем-то подобном, и не сразу поверил — главное уже сказано. — Если только ненадолго. Хочешь, я попрошу принести нам чаю?

— Нет, — покачала она головой. — Пригласи меня в ресторан. Мы будем пить вино, и ты станешь объясняться мне в любви.

— Разве я еще не объяснился? — засмеялся он.

— Мне никогда не надоест это слышать, — серьезно сказала она. — Никогда.

Короткая июльская ночь сгущалась темнотой за окном вагона. Лина некстати подумала, что бабушка была бы сейчас очень за нее рада.

— Я люблю тебя, — так же серьезно проговорил Тропинин. — Я люблю тебя.

Проводив Лину, помахав ей с платформы и поглядев вслед отгремевшему поезду, Николай Иванович прошел через здание вокзала на привокзальную площадь и сразу увидел Клавдию. Шла соседка тяжело, медленно и казалась согнутой, несмотря на прямую, как палка, спину. Догонять ее Николай Иванович не хотел, плестись за ней тем более. Он свернул к ближайшему магазину, уже в дверях развернулся и, не торопясь, направился к дому дальней дорогой, через парк.

Когда-то этот парк был его постоянной головной болью. Здесь собирались алкаши, тусовалась ничем не занятая и ничем не желающая заниматься молодежь, здесь почти постоянно случались драки, и хилое патрулирование, которое он пытался организовать, почти не помогало. Сейчас, поздним вечером, здесь пахло душистым табаком, гуляли парочки, слышался смех, и от этого парк казался ему незнакомым, и Николай Иванович был вынужден признать, что Сергею Овсянникову удалось многое.

К Клавдии он постучал, не заходя домой.

— Николай? — удивилась соседка. — Ты что? Случилось что-нибудь?

Он очень редко к ней заходил, разве что когда она просила помочь по хозяйству, а помочь Клавдия просила нечасто, ей вполне хватало помощи сына.

— Случилось, Клава. — Он чуть отодвинул ее рукой, проходя в тесную кухню.

Она следила за ним глазами, как строгая учительница, без любопытства, только с легким недоумением. Если бы он не знал наверняка то, что знал, усомнился бы в правильности своих действий.

— Да ты садись, Клава, — усаживаясь за стол, он кивнул на стоявший рядом стул. Стулья были красивые, удобные, под старину, сыновний подарок, не иначе. — Сегодня переполох был в городе, не слышала?

Она так и смотрела на него без интереса, не кивнула, не удивилась, постояла, взявшись за спинку стула, и уселась, а Николай Иванович внезапно понял: она догадывается о том, что он ей скажет.

— Вроде бы киллера убили, который на Сережу твоего охотился. И каким-то боком Томка Ропнина в эту историю влезла. Теперь она Серегина спасительница. Принимай невестку.

Клавдия опять промолчала, даже в лице не изменилась, и тогда он сказал то, зачем пришел:

— Нашли мы фотоаппарат, Клава. Тебя Лина про него спрашивала, да?

— Не помню, — наконец разжала губы Клавдия. — Может, и спрашивала.

— Спрашивала наверняка. Так вот, мы его нашли. Это ведь ты его разбила?

Она молчала, да он и не ждал ответа.

— Полина собралась печатать карточки, а допустить этого ты не могла. На снимках Ленька Ковшов очень уж хорошо получился. Полина тебе снимки наверняка показывала. Она, скорее всего, не знала, что его можно к компьютеру подключить, тогда ведь цифровые фотоаппараты только появились, и она показывала тебе снимки на самом фотоаппарате, где толком ничего не разберешь. Допустить, чтобы она их напечатала, ты не могла и аппарат разбила. Только ты не знала, что разбить его недостаточно. Сейчас техника так развивается, что нам с тобой за ней не угнаться. В общем, снимки остались. Я их вон через сколько лет увидел.

Она так и молчала. Только разом постарела. Или он просто не замечал раньше, что Клавдия совсем старуха?

— Фотоаппарат разбить не так просто. Ты по нему молотком, что ли, долбанула, когда Полина отлучилась?

Он не ждал ответа, но она вдруг заговорила:

— Я не хотела его убивать. Не хотела, Коля.

У него не было сил на нее смотреть, и он стал смотреть в окно. Сквозь листву еле виднелся Полинин дом, и он немного поводил головой, чтобы видеть его получше.

— Сережка в тот день из города уехал, ты же помнишь. А этот... Ковшов... его в доме дожидался. Явился под вечер и на кухне уселся. Что мне оставалось делать? Он сидит и сына моего ждет, чтобы убить. Я до сих пор Господа благодарю, что надоумил меня таблеток ему подмешать. Но убивать я его не хотела, не вешай мне грех на душу.

Николай Иванович тяжело вздохнул и опять уставился на соседский дом. Мелькнула муха, зажужжала, стала биться в окно. Клавдия дернулась к мухобойке и замерла.

— Не верю я тебе, Клава. Все было не так. Ты сама Ковша заманила. Как тебе это удалось, не знаю, да это и не имеет значения. Но заманила ты его точно. Не стал бы Ковш один по Серегину душу являться. И водку жрать в засаде не стал бы, он не большого ума человек был, но и не полный кретин.

Клавдия медленно поднялась, мухобойкой махнула по окну, подняла сбитую муху за крыло и бросила в ведро под мойкой.

— И тележку накануне ты чинить мне привезла, чтобы от себя подозрения отвести. У тебя еще одна тележка имелась, на снимках видно. Про эту вторую никто не знал, даже Сережка, да? Ты ведь перед сыном убийцей быть не хотела? Может, даже больше, чем перед людьми?

Она молчала. Николай Иванович достал сигарету, помял в руках, сунул назад в пачку.

— Ковша ты убила специально и к убийству готовилась. И знаешь зачем? Не для того, чтобы Сережку от гибели спасти... Чтобы он стал хозяином города, вот зачем ты для сына постаралась. Чтобы ему жилось хорошо. Ну и тебе чтобы хорошо жилось.

Клавдия дернулась, открыла рот, но промолчала.

— Я вот чего не пойму, Клава. Ты ведь всегда Полину ненавидела. Ты вообще людей не любишь, но это твое дело. Не любишь и не люби. Никого к себе не зовешь и сама ни к кому не ходишь, опять же твое дело. Что же ты к Полине всю жизнь липла? Как ни придешь к ней, ты там. Зачем?

Тишина в доме стояла абсолютная. Николай Иванович пожалел, что Клавдия прихлопнула муху, с мухой была хоть какая-то жизнь, а тишина казалась зловещей.

— Я тебе скажу зачем. Ты своей ненавистью питалась. Кому-то для жизни нужна любовь, а тебе злоба да зависть.

У него больше не было сил находиться в этом доме, он встал с мягкого стула.

— Ну а дальше все просто. Полина решила напечатать снимки, и ты ее убила. А я, старый дурак, даже не догадался.

— Иди, Николай. — Клавдия поднялась, и он опять поразился, какая она старая. — Иди. Завтра придешь.

На улице тоже стояла тишина.

Сон не шел. На стене слабыми пятнами проступал свет от луны. Тамара попыталась вспомнить, растущая луна или убывающая, и не смогла, ей было не до того в последние дни. Женские журналы учили, что все новое следует начинать непременно при луне растущей, иначе успеха не дождешься. Тамара в это не верила, конечно, однако в парикмахерскую ходила исключительно в «благоприятные» по лунному календарю дни. Очень хотелось встать, посмотреть на ночное светило, но она боялась разбудить лежавшего рядом Сережу.

Попыталась продумать, как станет проводить перепланировку дома. Обязательно надо пригласить профессионального дизайнера, это даже не обсуждается. А вот профессионального флориста можно не приглашать, какие посадить цветы, она будет решать сама.

Лунное пятно на стене качнулось — по небу проплыло облако. Души умерших тоже летают около Земли не то до девятого дня, не то до сорокового. Тамара знала, если это правда, Володина душа должна быть где-то рядом с ней, даже если живы его родители или у него есть братья и сестры. Даже если он соврал, и у него есть жена.

Его душа должна быть рядом с ней, потому что с ними произошло что-то настолько важное, и даже название этому трудно подобрать. Она не знала, что такое вообще бывает. Раньше никто не смотрел на нее так, что не стыдно просить поцеловать, никто не гнал из машины и никто ее не обнимал, направляясь на смерть. Жаль, она не успела сказать ему, что он для нее самый близкий человек, как это ни странно. Ближе всех ее прежних мужиков и даже ближе Сережи. Впрочем, это все равно ничего не изменило бы.

Думать о том, что было бы, если бы в живых остался Володя, а не Сергей, бессмысленно, и Тамара не думала. Она отлично знала, что вытянула счастливый билет, только удивилась — подушка вдруг оказалась мокрой от слез.

Тамара перевернула подушку, опять улеглась, чтобы видеть лунное пятно. Неожиданно проснулся Сергей, рывком сел, стараясь не шуметь. Опустил ноги на пол.

— Ты куда? — встревожилась Тамара.

— Я ненадолго, — почему-то шепотом ответил он. — Спи.

Она услышала, как хлопнула входная дверь, еще полежала и подошла к окну.

Луна оказалась убывающей.

Сергей Михайлович проснулся от неясной тревоги, от предчувствия чего-то не столько страшного, сколько тоскливого, безнадежного. Закурил, выйдя на крыльцо, подумал, что Томка ему все-таки здорово мешает, и обреченно с этим смирился. Потом он так и не смог понять, зачем стал звонить матери среди ночи. Накануне вечером она позвонила сама, расспрашивала про переполох в городе, он коротко бурчал, и мать отстала.

Он слушал длинные гудки, злился, что она так долго не отвечает, а потом как-то сразу оцепенел. По дороге к материному дому все набирал и набирал не отвечающий номер, крепко прижимая телефон к уху, и сунул его в карман только на ее крыльце. Дверь оказалась незапертой, но он этому не удивился, словно именно этого и ждал. По дому он почему-то старался идти тихо, будто боялся кого-то разбудить своими шагами, а свет включал везде. Мать лежала в кровати, положив руки на одеяло. Поза казалась вполне умиротворенной, он мог бы решить, что она спит, если бы уже по дороге не почувствовал, что ее больше нет.

Сергей Михайлович потрогал шею матери, зная, что пульса не будет, и зачем-то накрыл ее руки одеялом.

Две записки, написанные ровным и уверенным почерком, лежали на столе, прижатые подсвечником. Подсвечник с основанием из какого-то камня — он забыл какого, он плохо разбирался в минералогии, — предназначался под церковные свечи, он сам привез его из Москвы, и матери подарок очень понравился. Она редко радовалась его подаркам, больше пеняла за ненужные траты, а этому радовалась.

Одна записка была, как и следовало ожидать, в полицию — прошу никого не винить, знаю, что смертельно больна, и прочая чушь. Никакого рака у матери не было, она вообще была исключительно крепкой женщиной. Сергей просто не помнил, чтобы она когда-либо болела.

А вторая записка, всего из двух слов — прощай, Сережа, — предназначалась ему, и он сжег ее, держа одной рукой, над любимым материным подсвечником. Аккуратно подправил пепел пальцем, медленно прошелся по дому, выключая везде свет, тяжело уселся на стул возле окна на кухне.

Сергей чувствовал вину перед матерью, он ее не любил. Жалел, заботился о ней, но не любил. А когда она сделала то, что сделала, так просто возненавидел. Он не считал себя человеком безгрешным, но знал, что нелюбовь к матери была самым тяжким его грехом. Смертным.

Он не только не любил мать, он ее стеснялся. Стеснялся того, что у нее совсем нет подруг, что почти никогда никто не заходит к ней поболтать по-соседски. Что у нее полностью отсутствует то, что называется душевностью. Наверное, ему на роду написано стесняться близких, ведь в том, что за Тамару ему часто будет неловко, сомнений не возникало.

Луну из окна он не видел, но светила она ярко. За окном темнела листва деревьев, а дальше, невидимый, высился соседский дом. Совсем некстати он подумал: Полина Васильевна его грядущего брака не одобрила бы, она считала, что в браке главное любовь. Но мотивы его были бы ей понятны, долг она ставила высоко.

Он тоже высоко ставил долг. И с Томкой поступил правильно, и сейчас тоже поступит правильно.

Николай Иванович свет зажигать не стал, сидел сначала в сумерках, потом в темноте. Пил чай, прохаживался по дому, потом снова садился за стол, проверяя накрытый сложенной газетой пистолет. Пистолет лежал удобно, под рукой, в раскрытом ящике с инструментами.

Дверь Николай Иванович запирать не стал, и когда на крыльце послышались шаги, крикнул:

— Заходи, Сережа.

Вошел Овсянников, шаркая, как старик, и опустился тяжело на стул.

— Я тебя ждал.

— Знаю.

Небо начинало светлеть. Только что яркие, звезды бледнели, растворялись перед наступающим утром.

— Знаю, — повторил Сергей Михайлович. — Вы специально фотоаппарат на виду оставили там, у Лины?

— Нет, — признался Николай Иванович. — Я как раз не хотел, чтобы ты его увидел раньше времени. Просто вы с Тамарой очень уж быстро приехали, вот я и не успел его как следует припрятать. Да и Лина все время была рядом, а я, сам понимаешь, не хотел, чтобы она что-то заподозрила. Вот и положил его рядом с собой на стул. Надеялся, что ты не заметишь, со стула-то я тогда так ни разу и не встал.

Овсянников отвернулся, словно разговор его совсем не интересовал:

— Снимки, значит, сохранились?

— Сохранились. Только Лина этого не знает.

— Да ладно вам, Николай Иваныч, — отмахнулся Овсянников. — Она мне тоже не чужая.

Николаю Ивановичу хотелось сказать, что Полина Сергею тоже была не чужая, но он промолчал. Ему вообще не хотелось говорить.

— Мама умерла, — ровно проговорил Сергей Михайлович.

Николай Иванович опять промолчал. Светало, и подступающий день вызывал ощущение конца света, как будто настоящая жизнь может протекать только в темноте ночи.

— Она не убивала Полину Васильевну.

— Я догадался.

Теперь промолчал Овсянников. Собственно, разговор был уже окончен, его вообще можно было не начинать, потому что двое мужчин сейчас знали друг о друге все.

— Я только одного не понимаю, Сережа. Зачем? Зачем ты убил Полину? Ты же знал, что она никогда Клавдию в тюрьму не отправит. Твоя мать этого могла не понимать, но ты-то знал, ты же умный.

А вот это объяснить было почти невозможно. Он убил соседку, хотя любил ее и уважал, а мать не любил и не уважал, только не мог допустить, чтобы она всю оставшуюся жизнь прожила под гнетом страха разоблачения и была обязана человеку, которого так не любит.

— Фотографию Полины зачем на столе держал? Чтобы весь город знал, как ты скорбишь? Чтобы никому в голову не пришло, что ты ее и убил? Так никто и не считал, что ее убили, мог не стараться.

В чем-то старик был прав — он старался вести себя так, чтобы никакие подозрения его не коснулись. Многие знали о его дружбе с соседкой, и фотография на столе выглядела логично. Он собирался убрать фотографию через положенное время, но не стал. Потому что было и другое, что тоже объяснить почти невозможно, — Полина Васильевна смотрела на него как живая, и все понимала, и давно его простила. Он привык с ней советоваться, как с живой, и видеть ее одобрение, а о том страшном, что когда-то совершил, старался не думать. Думал, конечно, и понимал, что грех на нем смертный, и даже не пытался себя оправдать и знал, что снова поступил бы точно так же.

В тот вечер он зашел к матери случайно и первый раз увидел, как она плачет. Если бы не тот вечер, он бы просто не знал, что она вообще способна плакать. Может, именно потому что она плакала, ему удалось вытянуть из нее неприятную правду — в фотоаппарате Полины Васильевны были снимки Ковша.

— Разбить фотоаппарат могла только Клавдия, ты бы его просто забрал с собой, — словно читая его мысли, объяснил Николай Иванович. — Тогда цифровые аппараты только появились, она не знала, что разбить его недостаточно. Впрочем, и ты, наверное, не знал, иначе нашел бы его и забрал.

О том, что мать отравила Ковша, он, конечно, догадывался, хотя они никогда об этом не говорили. Странно, но после гибели его закадычного врага мать стала к Сергею совсем нетерпимой, почти грубой. Впрочем, она и раньше была не особенно ласкова.

Сергей тогда успокаивать ее не стал, порылся в аптечке, стараясь не встречаться с матерью глазами, достал подходящее лекарство и отправился к соседке. Если бы они с Полиной Васильевной пили чай, так невинно ее смерть и не выглядела бы, но он предложил выпить наливки, и соседка не отказалась. Со спиртным лекарство совсем не сочеталось. В смерти пожилой женщины никто криминальной подоплеки не искал, вскрытие констатировало только остановку сердца. Да если бы и нашли причину этой остановки... Все пожилые люди пьют массу лекарств, и редко кто из них тщательно отслеживает совместимость принимаемых препаратов со спиртным.

— Ты убил Полину не из-за матери, Сережа, — голос у Николая Ивановича дрогнул. — Ты ее убил, потому что сам не мог рисковать. Не мог ты допустить, чтобы жил человек, который все нажитое тобой способен в один момент разрушить. Если бы Клавдия очутилась в тюрьме, не стал бы ты мэром. И дом в три этажа не построил бы, и на джипах бы не ездил. Так что убил ты Полину не из-за Клавдии. Из-за себя.

— Думайте, что хотите, — устало сказал Сергей Михайлович.

Ненужный выходил разговор, лишний. Овсянникова ждали дела, город, в который он вложил столько сил. Его ждала Тамара.

Он неторопливо полез во внутренний карман ветровки, наспех наброшенной на мятую футболку.

Николай Иванович протянул руку к ящику с инструментами, зашуршав, упала газета.

Выстрелы прогремели почти одновременно, но реакция у молодого Овсянникова оказалась лучше, чем у старого милиционера.

Четверг, 12 июля

Народу на похоронах было много. Лине не удалось пробиться поближе к гробу, и Николая Ивановича она видела плохо.

Молодой священник говорил слова, которых она толком не понимала, две женщины в аккуратных платочках подпевали удивительно чистыми голосами, люди вокруг крестились, и Лина крестилась тоже, думая, что во всем этом есть что-то ненатуральное, потому что Николай Иванович был человеком неверующим, хотя и крещеным.

Служба кончилась, священник окинул взглядом плотную толпу, и Лина увидела, что он совсем не молод, а глаза у него сострадающие, и ей стало стыдно за свои недавние мысли. Теперь священник заговорил о Николае Ивановиче, как будто был не священнослужителем, а давним другом старику, долго и хорошо его знавшим, и Лина не сразу поняла, что плачет. Она не заплакала, когда позвонила Антонина Ивановна, а потом Тамара. Она деловито кидала в сумку самые необходимые вещи и думала о том, что не имела права уезжать, потому что давно уже не маленькая девочка, которой позволительно прятаться от жизни, какой бы страшной эта жизнь ни была.

К Лине пробилась Тамара, оттеснив Павла, зашептала в ухо. Тропинин позвонил, когда Лина уже ехала в такси на вокзал, она совсем не думала, что он поедет вместе с ней, но он поехал, а она даже не испытывала за это к нему благодарности. У нее не осталось более никаких чувств. Никаких чувств, кроме мести.

Только кому мстить, если Николай Иванович умер от сердечного приступа. Себе?

— Сережа мне предложение сделал, — сообщила Тамара.

— Поздравляю. Я в этом не сомневалась.

— Тетя Клава ведь тоже умерла, вчера хоронили. Ужас, да?

В руках у Тамары был роскошный букет из темных роз. А Лина купила на привокзальной площади чахлые гладиолусы, жалко белеющие в ее дрожащей руке. О цветах она не подумала, а ведь могла купить в Москве любые.

Тамара шептала, Лина не слушала.

Началась гражданская панихида. Речей звучало много, ораторы сменяли друг друга, какая-то женщина не смогла говорить, потому что сразу начинала плакать, только все повторяла, что Николай Иванович спас ей жизнь. Лучше всех выступил Сергей, говорил не казенные слова, а человеческие, и Лина снова заплакала.

Сергей Михайлович Лину заметил, выдернул из толпы, и ей удалось положить в гроб свои жалкие гладиолусы, а потом одной из первых бросить в могилу горсть земли.

Идти на поминки не хотелось, она практически никого не знала из толпившихся здесь людей, но Томка вцепилась в нее намертво. Находиться рядом с Сергеем Тамара не осмелилась, все-таки он лицо официальное, а она ему пока еще никто, но быть около него ей очень хотелось.

На поминках тоже лучше всех говорил Овсянников, и Лина снова заплакала.

— Николай Иваныч тебе все имущество оставил, — прошептала Тамара. Она все время шептала, хотя гул голосов за столом давно обрел громкость нормального разговора.

— Что?

— Николай Иваныч завещание оставил. Все имущество тебе завещал. И дом, и участок. Между прочим, это неплохие деньги.

— Откуда ты знаешь?

— Знаю. У Сережи нотариус знакомый. Он сказал.

— Паша, — Лина дернула за руку сидевшего с другой стороны Тропинина. — Пойдем отсюда.

Запасной ключ от дома Николая Ивановича висел в сарае, Лина сразу его нашла, но его можно было и не искать, потому что дверь оказалась не заперта, и это еще раз напомнило о том, что хозяина больше нет. Николай Иванович никогда не оставлял дом незапертым. И бабушку ругал, та часто уходила, не запирая дверь.

Компьютера нигде не было. Лина тщательно и методично обходила комнаты, открывая дверцы шкафов, комодов.

— Ты что ищешь? — Павел следовал за ней по пятам.

— Не знаю.

— Подожди. — Он обнял ее, крепко прижав к себе. — Ты сомневаешься в... сердечном приступе?

— Не знаю. — Лина быстро погладила его по щеке и высвободилась.

Диктофон она нашла в кухне на полке между коробками с чаем. Коробок было много, Николай Иванович чай любил и денег на него не жалел. Здесь же аккуратным рядом стояли чайные чашки с блюдцами. Чашки были промыты плохо, по-мужски. Лина вспомнила, как бабушка, приходя к Николаю Ивановичу, начинала мыть посуду, ворчала, показывая давнему другу, что тарелки необходимо мыть с обеих сторон.

Батарейка села, зарядку Павел нашел в одной из тумбочек вместе с другими зарядными устройствами.

Слушать запись они почему-то сели на пол.

— Заходи, Сережа. — Голос послышался не слишком громкий, но узнаваемый, диктофон у Николая Ивановича был дорогой, мощный.

— Я тебя ждал.

— Знаю.

Тропинин быстро поднялся, запер входную дверь, сделал звук совсем тихим.

После выстрелов еще слышался какой-то шум, а потом наступила тишина.

— Нужно сделать копию и идти в полицию. — Лина уткнулась ему в грудь, и Павел обнял ее одной рукой.

— Обязательно. Только не здесь. Если он огнестрельное ранение смог за сердечный приступ выдать, в здешней полиции нам делать нечего. У меня друг подполковник МВД, приедем в Москву, пойдем к нему.

Павел сунул диктофон в карман и обнял Лину обеими руками.

Эпилог

— Линочка! — ахнула Антонина Ивановна. — Приехала! Что же не позвонила, я бы тебя встретила.

— Я не одна. С мужем. — Лина потопала ногами, стряхивая снег, шагнула через порог, поцеловала бабушкину подругу.

— Помирилась с мужем? Ну и хорошо. Проходи, раздевайся, — засуетилась старушка.

— Не помирилась. — Скинув пуховик, Лина огляделась. — Снова вышла замуж. Вы моего нового мужа видели, он со мной на похоронах Николая Ивановича был.

— На похоронах нам и поговорить-то толком не удалось. Садись, Линочка. Обедать будешь? У меня борщ хороший получился.

— Нет, спасибо. Приходите к нам Новый год встречать. Приходите, Антонина Ивановна, — пригласила Лина. При бабушке та всегда встречала Новый год в доме подруги.

— Лучше вы ко мне приходите. Я еды много наготовила, как чувствовала.

— Спасибо, — сразу согласилась Лина. — Обязательно придем. Что это у вас?

В обычно безупречно аккуратной кухне Антонины Ивановны высились сложенные в углу разномастные коробки.

— А... — Хозяйка оглядела неприглядную пирамиду. — Книги это. У нас ведь новый мэр. Такой дурак, не приведи господи. Библиотеку закрыл, нерентабельная. Я теперь пенсионерка, Линочка. Ну я-то ладно, мне давно на пенсию пора, а девочек моих жалко. С работой у нас плохо, сама понимаешь. Овсянников собирался в библиотеке компьютеры поставить, молодежь привлечь, а этот взял и закрыл. А книги на помойку. Я, что смогла, раздала, только неохотно книги берут, особенно если не детективы и не фантастика. Вот к себе привезла. Не могу я книги выбросить.

— Понимаю, — кивнула Лина.

— У нас после Овсянникова вообще все изменилось. Его в убийстве Николая обвинили, ты знаешь?

— Да.

— Господи, кто бы мог подумать, что он на такое способен! Овсянникова посадили, и все пошло наперекосяк. На заводе опять невыплаты зарплат, дороги снегом завалены, никто не чистит. А Тамарка Ропкина за него замуж вышла, когда он уже сидел. Оно и понятно, деньги у него немаленькие, и наверняка помимо официальных счетов припрятано столько, что я и вообразить не в состоянии. А оба дома стоят заколоченные, и новый, и материн. Тома здесь совсем не появляется. Знаешь, Лина, я думаю, его по-держат-подержат и выпустят, и всплывет он где-нибудь в другом месте.

— Антонина Ивановна, — взмолилась Лина. — Ну его к черту. Я не могу больше о нем слышать.

— И правда, Линочка, бог с ним. Знаешь, власти приходят и уходят, а мы остаемся. И это наш город.

Домой Лина возвращалась уже в сумерках. Зима, такая ненавистная в Москве, здесь казалась сказочной. Искрился снег, поскрипывал под ногами, разноцветными огнями светились в окнах елки. Уходил год, принесший горе и радость, разочарования и надежды.

Литературно-художественное издание

ТАТЬЯНА УСТИНОВА РЕКОМЕНДУЕТ

Евгения Горская

ВСЕ МЫ ТОЛЬКО ГОСТИ

Ответственный редактор *О. Рубис*
Художественный редактор *А. Стариков*
Технический редактор *Г. Романова*
Компьютерная верстка *А. Пучкова*
Корректор *Н. Сикачева*

В оформлении переплета использованы фотографии:
Melpomene, Olga Miltsova / Shutterstock.com
Используется по лицензии от Shutterstock.com

ООО «Издательство «Эксмо»
127299, Москва, ул. Клары Цеткин, д. 18/5. Тел. 411-68-86, 956-39-21.
Home page: **www.eksmo.ru**   E-mail: **info@eksmo.ru**

Өндіруші: Издательство «ЭКСМО»ЖШҚ, 127299, Мәскеу, Ресей, Клара Цеткин көш., үй 18/5.
Тел. 8 (495) 411-68-86, 8 (495) 956-39-21
Home page: www.eksmo.ru   E-mail: info@eksmo.ru.
Тауар белгісі: «Эксмо»
Қазақстан Республикасында дистрибьютор және өнім бойынша арыз-талаптарды
қабылдаушының
өкілі «РДЦ-Алматы» ЖШС, Алматы қ., Домбровский көш., 3«а», литер Б, офис 1.
Тел.: 8(727) 2 51 59 89,90,91,92, факс: 8 (727) 251 58 12 вн. 107; E-mail: RDC-Almaty@eksmo.kz
Өнімнің жарамдылық мерзімі шектелмеген.
Сертификация туралы ақпарат сайтта: www. eksmo.ru/certification

Сведения о подтверждении соответствия издания согласно
законодательству РФ о техническом регулировании можно получить
по адресу: http://eksmo.ru/certification/

Өндірген мемлекет: Ресей
Сертификация қарастырылмаған

Подписано в печать 26.08.2013. Формат 84x108$^1/_{32}$.
Гарнитура «Таймс». Печать офсетная. Усл. печ. л. 18,48.
Тираж 8000 экз. Заказ 6341.

Отпечатано с готовых файлов заказчика
в ОАО «Первая Образцовая типография»,
филиал «УЛЬЯНОВСКИЙ ДОМ ПЕЧАТИ»
432980, г. Ульяновск, ул. Гончарова, 14

ISBN 978-5-699-65679-0

закрученный романтический детектив
от любимого автора!

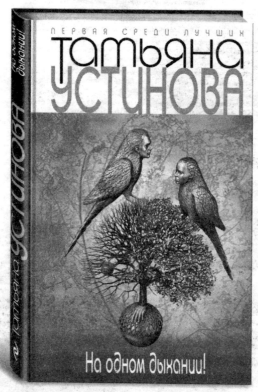

Благополучному бизнесмену Владимиру Разлогову спустя много лет пришлось заплатить по старым счетам. И расплата была жестокой! В преступлении мог быть замешан кто угодно: бывшая жена, любовница, заместитель, секретарша!..

Времени, чтобы разобраться, почти нет... И расследование следует провести на одном дыхании!

Оставшись одна, не слишком любимая Разлоговым супруга Глафира пытается выяснить, кто виноват. Она сделает почти невозможное – откроет все старые тайны мужа и вытащит на свет все тени до одной... Да, этот роман – та Устинова, которую ждали!

Татьяна УСТИНОВА – первая среди лучших!

ТАТЬЯНА УСТИНОВА

 РЕКОМЕНДУЕТ

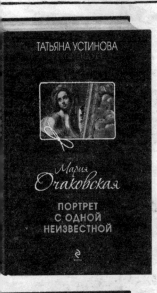

Татьяна УСТИНОВА знает, что привлечет читателей в детективах Екатерины ОСТРОВСКОЙ и Марии ОЧАКОВСКОЙ! «Антураж и атмосферность» придуманного мира, а также драйв, без которого не обходится ни одна хорошая книга. Интригующие истории любви и захватывающие детективные сюжеты – вот что нужно, чтобы провести головокружительный вечер за увлекательным чтением!

Татьяна Устинова, Ольга Степнова
ВСЕГДА ГОВОРИ «ВСЕГДА»

В 2004 году Татьяна Устинова была удостоена премии «ТЭФИ» за сценарий к телевизионному сериалу «Всегда говори «Всегда»

Смотрите любимый сериал на канале «Феникс+Кино»!